D1171504

Jours et points mêlés

créations contemporaines en jours brodés

Sabine Cottin

Photographies : Fabrice Besse
Stylisme : Sylvie Beauregard

MANGO *PRATIQUE*

À Paul, Thomas et Thibault.

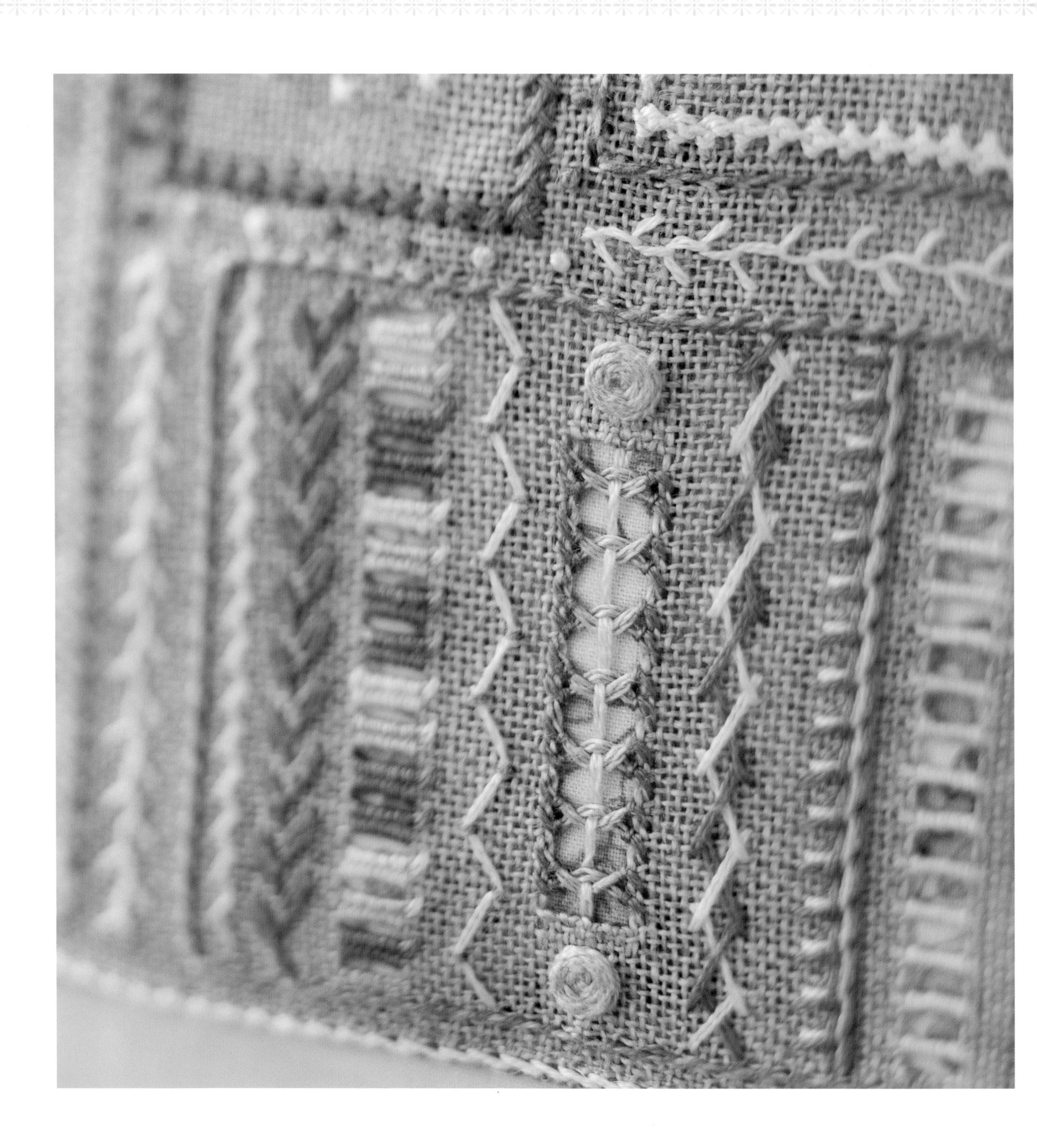

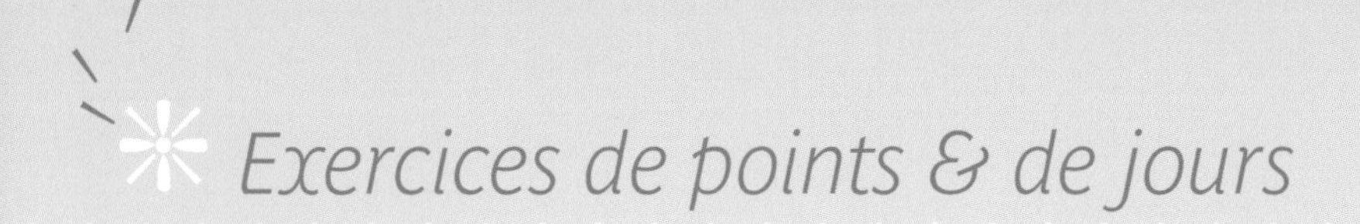

Exercices de points & de jours

Matériel

Dimensions coutures non comprises

- *20 x 20 cm de toile de lin à broder bis, 12 fils/cm*
- *1 échevette de Mouliné Spécial 25 DMC Art. 117 : bleu ciel 800, bleu foncé 931, écru et marron 3790*
- *28 x 64 cm de tissu à petites rayures (devant, fond et dos du sac : A)*
- *2 fois 8 x 28 cm de tissu à grandes rayures (côtés du sac : B1 et B2)*
- *28 x 64 cm et 2 fois 8 x 28 cm de tissu de doublure 10 cm x 300 cm tissu fleuri (bande froncée sur le haut du sac : C)*
- *72 cm de galon de lin bis, en 1 cm de large*
- *2 fois 16 cm de croquet écru, en 8 mm de large*
- *40 cm d'anses nattées*
- *Fil transparent*

Techniques utilisées

Véritable exercice de style, cette création rassemble l'ensemble des points et des jours expliqués dans la partie technique. Vous pouvez ainsi vous exercer et faire de votre broderie un petit morceau de bravoure, à exposer absolument !

Brodez les points de broderie en 2 brins de Mouliné sauf cas mentionnés.

Dimensions

Sac : L 28 x H 29 x P 8 cm

Broderie : 15 x 15 cm (en 12 fils/cm)

Les étapes de réalisation de la partie ajourée et brodée ont été décomposées en cinq parties (voir fig. 1).

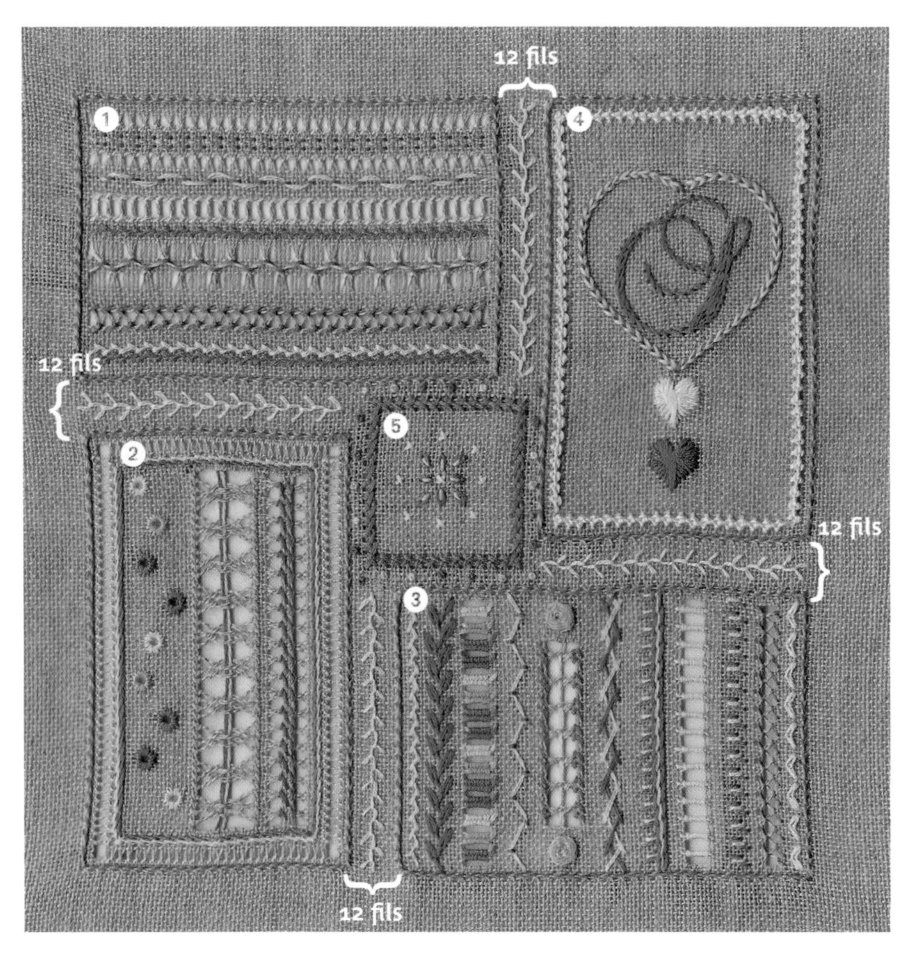

Fig. 1

Broderie et jours

Préparation

Surfilez la toile de lin.

Travaillez avec 2 brins de Mouliné bleu foncé sur l'endroit de la toile. Brodez quatre rectangles au point de tige de 102 x 66 fils (8,5 x 5,5 cm environ), en laissant 12 fils entre chaque rectangle (voir fig. 1).

Première partie

Préparation de la toile

Sur l'endroit de la toile, surjetez le rectangle avec le Mouliné bleu ciel.

Partez du haut du rectangle brodé et comptez 4 fils vers l'intérieur de ce dernier. Puis, coupez et rentrez les fils sur l'envers par un point de reprise en suivant cet ordre (voir fig. 2) :

A Coupez 2 fils. Gardez 8 fils.
B Coupez 2 fils. Gardez 8 fils.
C Coupez 3 fils. Gardez 7 fils.
D Coupez 3 fils. Gardez 4 fils.
E Coupez 3 fils. Gardez 6 fils.
F Coupez 3 fils. Il vous reste 13 fils en bas.

Arrêtez les 6 rivières à 3 fils à droite et à gauche du rectangle au point de tige bleu foncé (voir diagramme 1). La réalisation des jours se fera une fois tous les points de broderie réalisés.

Réalisation des points de broderie

Travaillez avec 2 brins de Mouliné sur l'endroit de la toile et suivez le diagramme 1 ci-dessous, en vous aidant de la fig. 1.

Réalisation des jours (voir fig. 3)

Rivières A et B

Travaillez avec 2 brins de Mouliné écru sur l'envers de la toile.

Réalisez des ***jours simples*** de 3 fils.

Rivière C

Travaillez avec 2 brins de Mouliné écru sur l'endroit de la toile.

Réalisez des ***jours échelles*** de 3 fils.

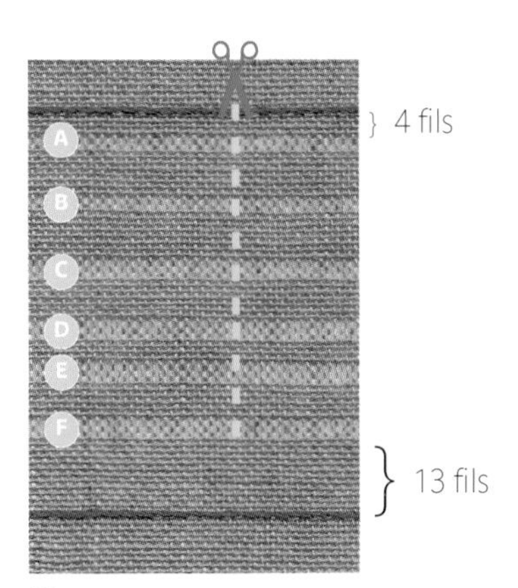

Fig. 2

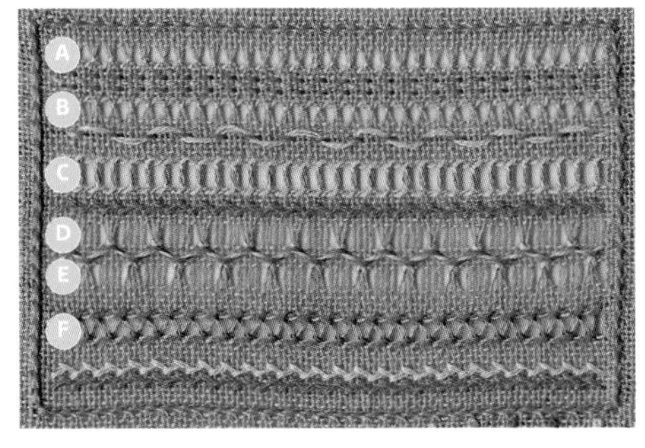

Fig. 3

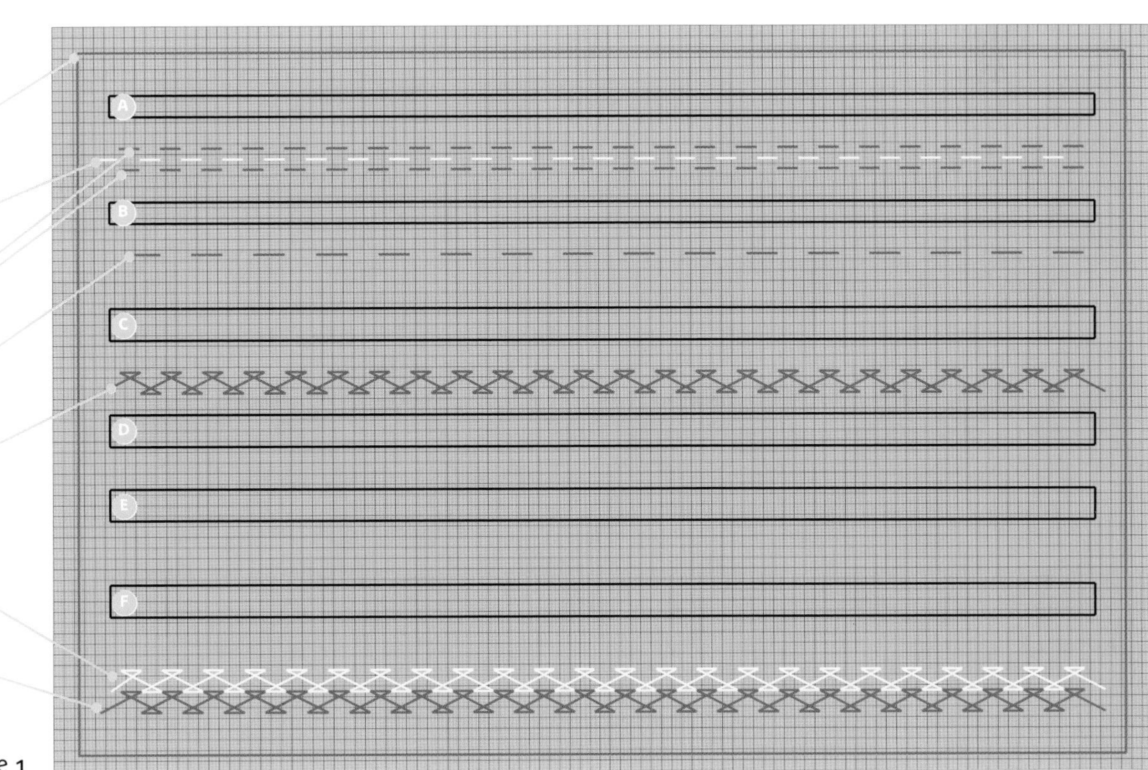

Diagramme 1

Rivières D et E
Travaillez avec 2 brins de Mouliné écru sur l'endroit de la toile.
Réalisez des ***jours express*** de 4 fils. Rebrodez le point de chausson doubles avec 2 brins de Mouliné bleu foncé ***(jours express au point de chausson entrelacé)***.
Rivière F
Travaillez avec 2 brins de Mouliné bleu foncé sur l'endroit de la toile.
Réalisez des ***jours en V*** : faites une première ligne de jours simples de 4 fils. Tournez la toile à 180° et réalisez une seconde ligne de jours simples de 4 fils en commençant et en finissant par un jour simple de 2 fils.

* Deuxième partie

Préparation de la toile

Sur l'endroit de la toile, surjetez le rectangle avec le Mouliné bleu ciel.
Partez du haut du rectangle brodé et comptez 3 fils vers l'intérieur de ce dernier. Puis coupez et rentrez les fils sur l'envers par un point de reprise en suivant cet ordre (voir fig. 4) :
A Coupez 2 fils. Réalisez ce travail, sur les quatre côtés du rectangle brodé.
B À partir de l'emplacement A (rivière de gauche), comptez 22 fils vers la droite. Coupez 14 fils. Gardez 4 fils.
C Coupez 3 fils. Gardez 4 fils.
D Coupez 3 fils. Il vous reste 6 fils jusqu'à A (rivière de droite).
Arrêtez les 4 rivières en haut et en bas à 10 fils du rectangle au point de tige bleu foncé (voir diagramme 2).
La réalisation des jours se fera une fois tous les points de broderie réalisés.

Réalisation des points de broderie

Travaillez avec 2 brins de Mouliné sur l'endroit de la toile et suivez le diagramme 2 ci-contre, en vous aidant de la fig. 1.

Réalisation des jours (voir fig. 5).

Rivière A
Travaillez avec 2 brins de Mouliné écru sur l'envers de la toile.
Réalisez en haut et en bas du rectangle des ***jours simples*** ; et à droite et à gauche des ***jours échelles*** de 2 fils.
Rivière B
Travaillez avec 2 brins de Mouliné écru sur l'endroit de la toile. Réalisez des ***jours***

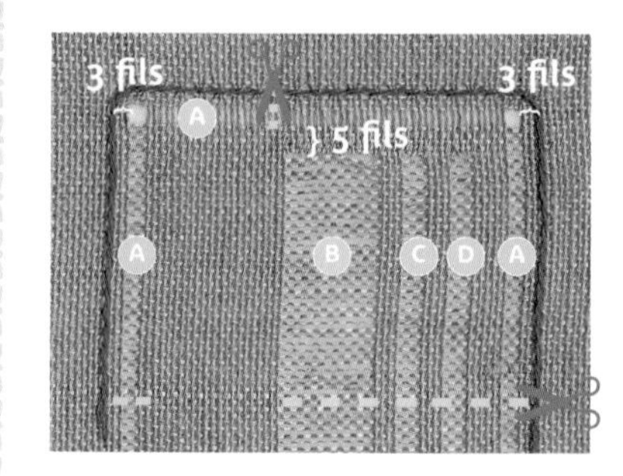

Fig. 4

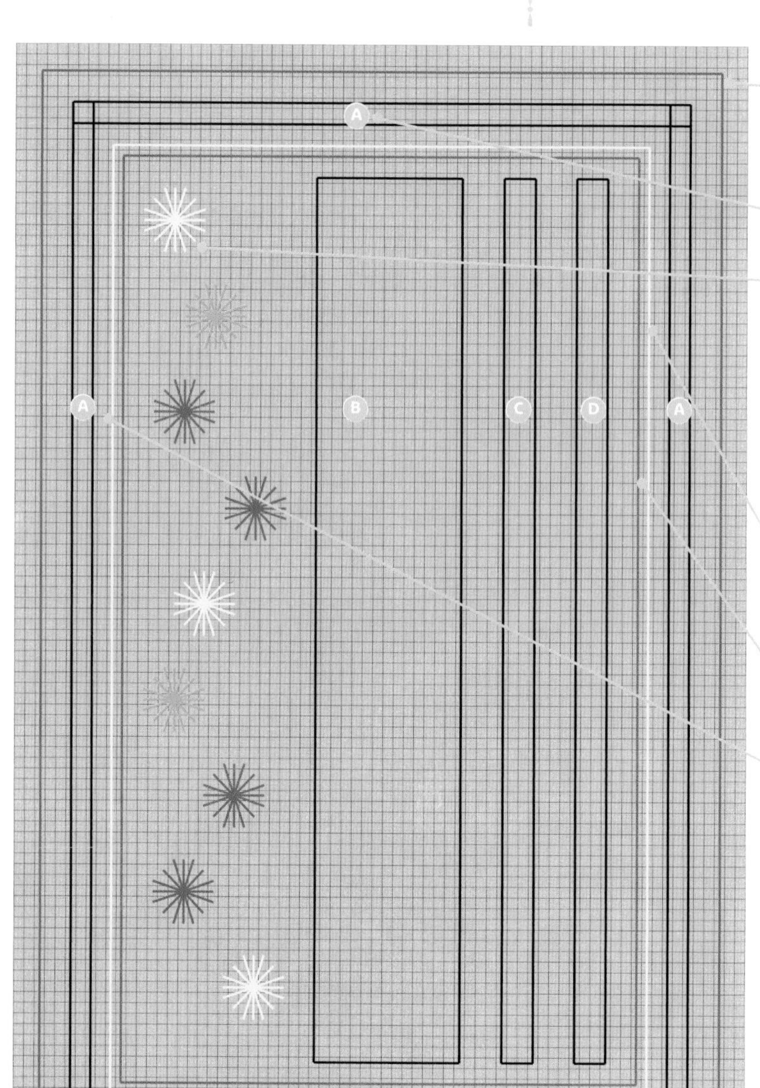

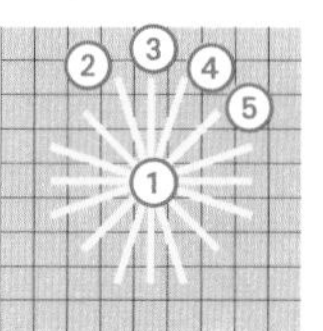

Diagramme 2

échelles de 2 fils. Attention, pour le premier et le dernier faisceau, faites des jours échelles de 3 fils.
Puis, travaillez avec 2 brins de fil à broder bleu foncé sur l'envers de la toile. Réalisez des ***jours contrariés deux fois croisés***. Repassez 2 brins de Mouliné écru au-dessus des 2 brins de Mouliné bleu. Faites passer les 2 brins de Mouliné écru aux mêmes endroits que le Mouliné bleu foncé.

Rivières C et D
Travaillez avec 2 brins de Mouliné bleu foncé sur l'endroit de la toile.
Réalisez des ***jours simples*** de 4 fils en vis-à-vis. Attention, lors de la réalisation de la deuxième ligne de jours simples, chaque jour se finit là où se terminent les jours précédemment réalisés.

✻ Troisième partie

Préparation de la toile

Sur l'endroit de la toile, surjetez le rectangle avec le Mouliné bleu ciel.
Partez de la gauche du rectangle brodé vers la droite et comptez 16 fils. Puis coupez et rentrez les fils sur l'envers au point de reprise en suivant cet ordre (voir fig. 6) :
A Coupez 6 fils. Gardez 14 fils.
B Coupez 9 fils. Gardez 26 fils.
C Coupez 5 fils. Gardez 15 fils.
D Coupez 3 fils. Il vous reste 8 fils à droite.
Arrêtez les rivières A, C et D en haut et en bas à 3 fils du rectangle au point de tige bleu foncé ; et la rivière B en haut et en bas à 12 fils du même rectangle (voir diagramme 3 page 16).
La réalisation des jours se fera une fois tous les points de broderie réalisés.

Réalisation des points de broderie

Travaillez avec 2 brins de Mouliné sur l'endroit de la toile et suivez le diagramme 3 page 16, en vous aidant de la fig.1 page 12.

Réalisation des jours (voir fig. 7)

Rivière A
Travaillez avec 2 brins de Mouliné (marron, bleu clair, écru ou bleu foncé) sur l'envers de la toile.
Réalisez des ***jours droits au point de reprise*** de 4 fils.
Pour le changement de couleur de chaque barrette, commencez chaque barrette en insérant le fil de départ dans la barrette précédente (voir fig. 8). Terminez en insérant le fil de fin dans la barrette qui vient d'être réalisée.

Rivière B
Travaillez avec 2 brins de Mouliné marron sur l'endroit de la toile. Réalisez des ***jours échelles à fils croisés*** : faites des jours échelles de 3 fils. Puis, travaillez avec 2 brins de Mouliné écru sur l'envers de la toile et réalisez des jours croisés.

Rivière C
Travaillez sur l'envers de la toile avec 2 brins de fil à broder écru.
Réalisez des ***jours Venise*** de 4 fils.

Rivière D
Travaillez sur l'endroit de la toile avec 2 brins de fil à broder bleu foncé.
Réalisez des ***jours en V*** de 4 fils.

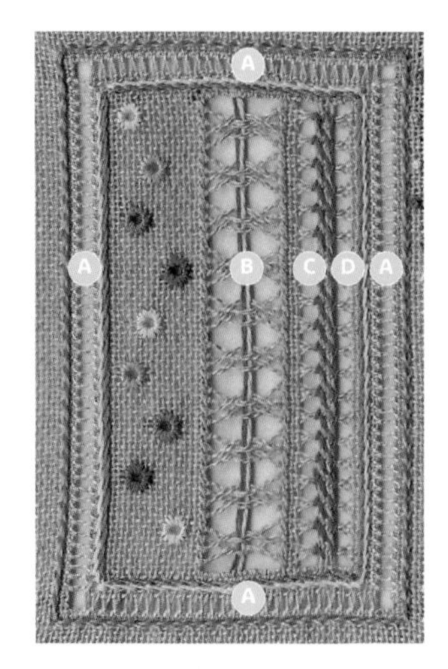

Fig. 5

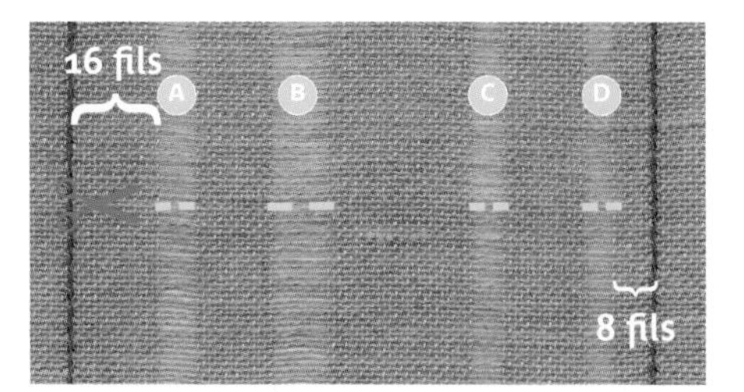

Fig. 6

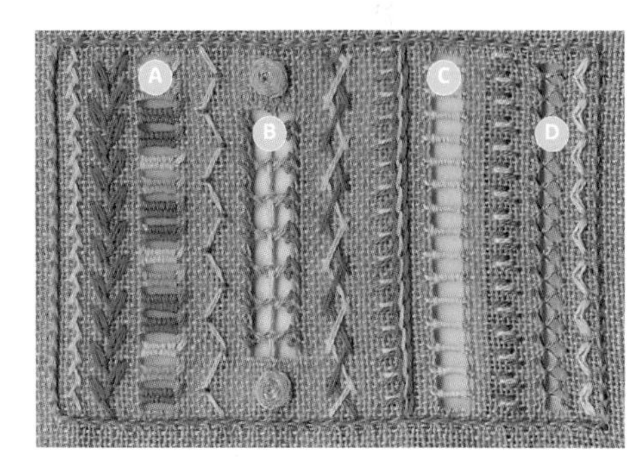

Fig. 7

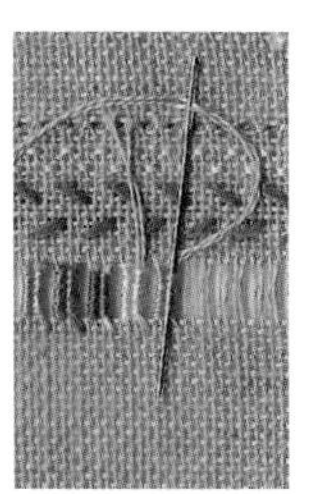
Fig. 8

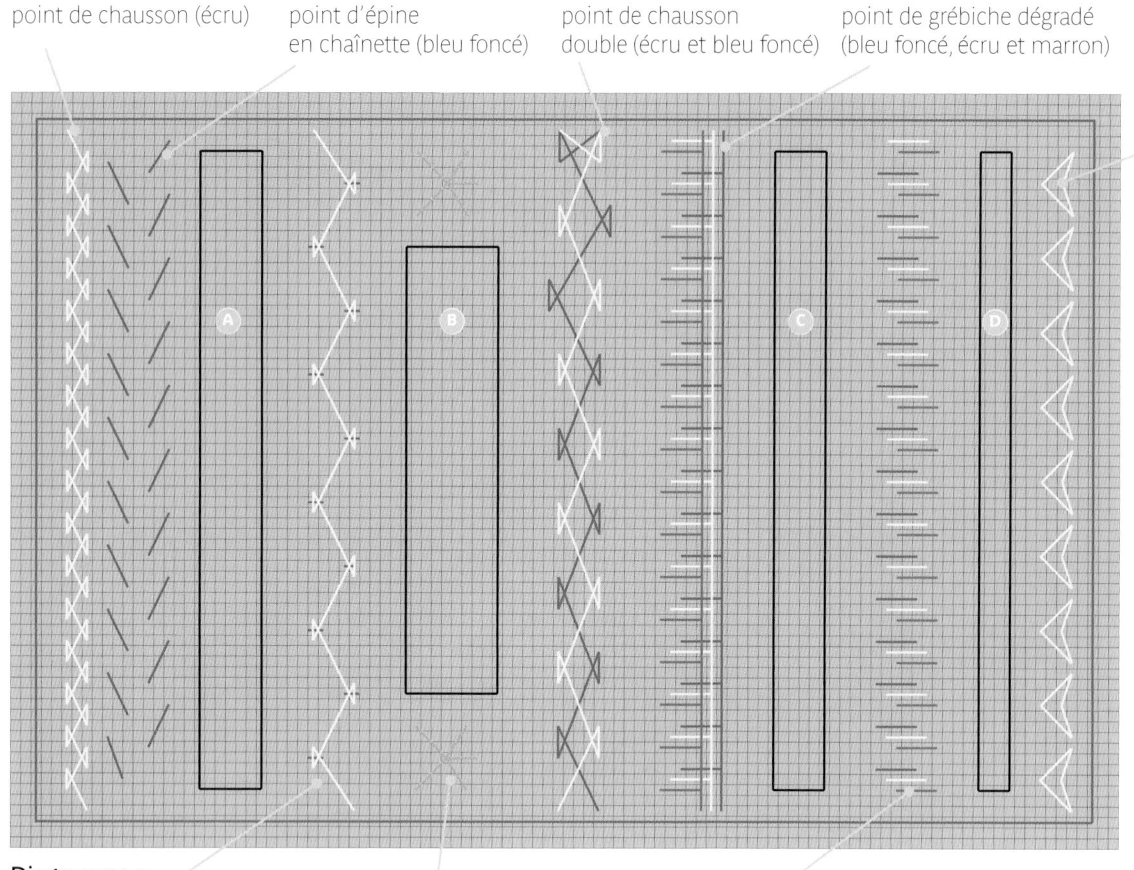

Diagramme 3

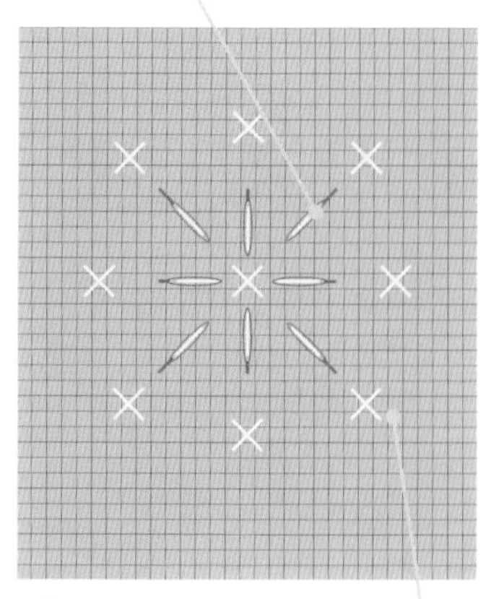

Diagramme 4

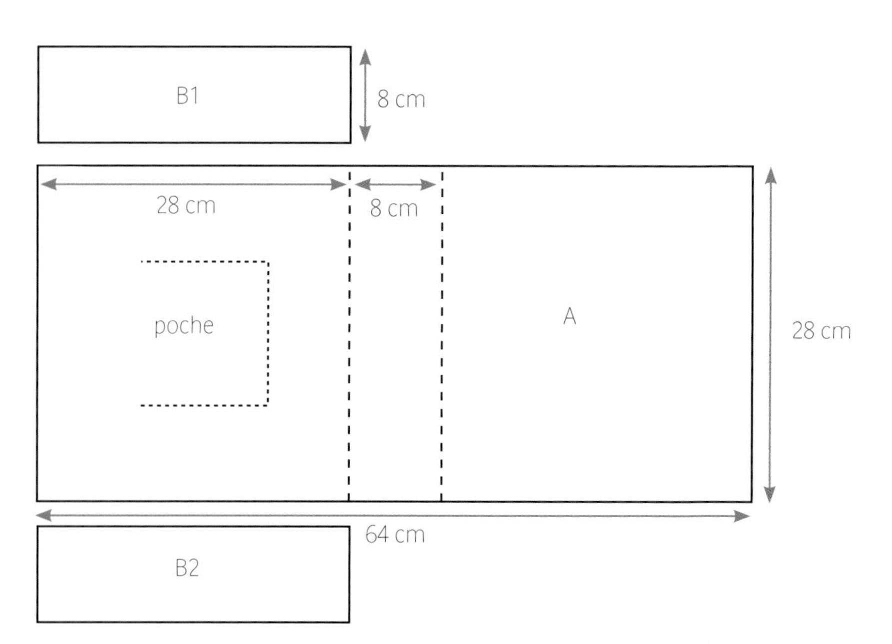

❋ Quatrième partie

Sur l'endroit de la toile, surjetez le rectangle avec le Mouliné bleu ciel.

Reportez les gabarits du cœur et de l'initiale choisie reproduits pages 89 et 93 au centre du rectangle brodé. Brodez les différents points de broderie en vous référant à la fig. 9. Tous les points sont brodés avec 2 brins de Mouliné, excepté le point de Palestrina et les cœurs au point de Rhodes réalisés avec 3 brins de Mouliné écru.

Pour les parties plus « épaisses » des volutes de l'initiale au point de tige : brodez plusieurs lignes au point de tige, les unes à côté des autres.

❋ Cinquième partie

Sur l'endroit de la toile, brodez les différents points de broderie en suivant le diagramme 4 page 16, en vous aidant de la fig. 10.

Tous les points sont brodés avec 2 brins de Mouliné.

Entre chaque rectangle brodé et ajouré, réalisez un point d'épine de 6 fils de large avec 2 brins de Mouliné écru (voir fig. 1).

❋ Finitions

Épinglez le croquet sur les côtés latéraux du carré brodé, à 4 fils de la broderie. Brodez-le à petits points avec 2 brins de Mouliné bleu foncé (voir fig. 11) uniquement sur un de ces bords, face à la broderie.

Réalisez une ligne au point de tige sur les côtés supérieur et inférieur avec 3 brins de fil à broder écru, à 4 fils de la broderie.

Coupez le surplus de lin à 2 cm des bords latéraux et du bord inférieur et à 4 cm du bord supérieur. Rabattez les bords supérieurs du carré brodé au ras du point de tige, puis les côtés latéraux au milieu du croquet (le croquet cache le bord du lin) et marquez au fer.

Couture

Pliez en deux, envers contre envers, le tissu A. Épinglez le carré brodé en le centrant à 8 cm de la pliure, en ne prenant qu'une épaisseur de tissu. Dépliez le tissu et cousez avec un fil invisible les bords latéraux et inférieur du carré brodé pour former une poche.

Pliez endroit contre endroit le tissu A. Épinglez de chaque côté les grands côtés B pour constituer le sac. Cousez-les ensemble (voir schéma page 16).

Réalisez la doublure sur le même principe que le montage précédent et insérez-la dans le sac. Épinglez ces deux parties.

Pliez la bande de tissu C en deux, endroit contre endroit. Faites un rentré de 5 mm sur chaque longueur et cousez-les. Prenez une aiguillée de fil à quilter et réalisez des points avant de 1 cm le long de la couture. Plissez cette dernière et assemblez les deux extrémités pour obtenir une circonférence de 70 cm (27 + 8 + 27 + 8 cm). Insérez-la sur le haut du sac, entre la doublure et le sac, en laissant 3 cm dépasser du haut du sac. Insérez également les deux anses à 7 cm des côtés du sac.

Épinglez le sac, la doublure, les anses et la bande plissée, et cousez toutes les épaisseurs.

Réalisez des points avant de 3 mm au milieu du galon avec 3 brins de Mouliné bleu foncé. Épinglez-le en haut de la couture, sur l'endroit du sac en commençant au milieu du dos du sac.

Vous pouvez réaliser un biscornu (voir pages 23-25) et l'accrocher à l'une des anses.

Fig. 9

Fig. 10

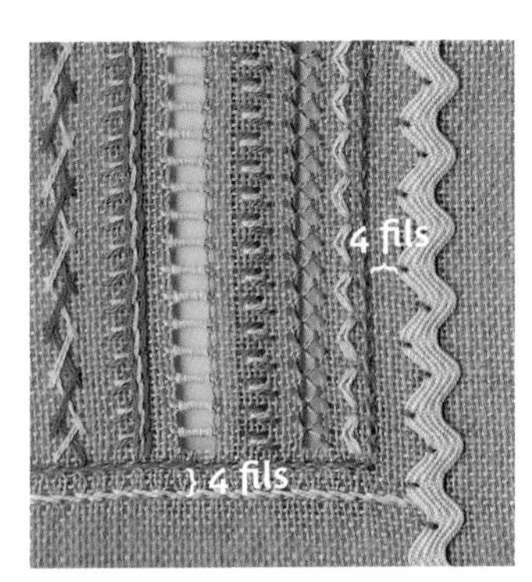

Fig. 11

Porte-aiguilles

Matériel

Dimensions coutures non comprises

- *12 x 12 cm de toile de lin à broder bis, 12 fils/cm*
- *1 échevette de Mouliné Spécial 25 DMC Art. 117 : bleu ciel 800, bleu foncé 931, écru et marron 3790*
- *1 échevette de Coton perlé DMC Art. 116 n° 8, écru*
- *31 cm x 12 cm de tissu fleuri*
- *18 x 12 cm de tissu à petites rayures*
- *3 fois 11 x 11 cm de feutrine bleue*
- *12 x 12 cm de feutrine bis*
- *Fil transparent*

Techniques utilisées

Jours : jours échelles, jours simples, jours en V.
Points de broderie : point de tige (surjeté), point de chausson (entrelacé), point de croix, point avant, point de Palestrina, roue festonnée

Dimensions

Porte-aiguille : 24 x 12 cm (ouvert) ; 12 x 12 cm (fermé)
Broderie : 8,5 x 8,5 cm (en 12 fils/cm)

Broderie et jours

✻ Préparation de la toile

Surfilez la toile.

Pliez la toile en deux et réalisez une ligne de bâti. Reportez les gabarits des deux cœurs reproduits page 93 (en noir et rouge) en alignant la ligne de bâti (voir fig. 2) sur le repère. Dans le petit cœur, reportez l'initiale choisie (alphabet reproduit page 89). Brodez le grand cœur au point de tige avec le Coton perlé écru et surjetez-le avec 2 brins de Mouliné bleu foncé.

Partez de l'intersection de la ligne de bâti et de la droite du petit cœur (repère), puis coupez et rentrez les fils sur l'envers par un point de reprise en suivant cet ordre (voir fig. 2) :

A Coupez 2 fils. Gardez 15 fils.
B Coupez 2 fils. Gardez 4 fils.
C Coupez 3 fils. Gardez 4 fils.
D Coupez 2 fils. Gardez 15 fils.

Arrêtez les rivières B, C et D en haut et en bas du cœur au point de tige ; et la rivière A en haut au ras du cœur et en bas à 15 fils de la pointe du cœur (voir diagramme 1).

Fig. 1

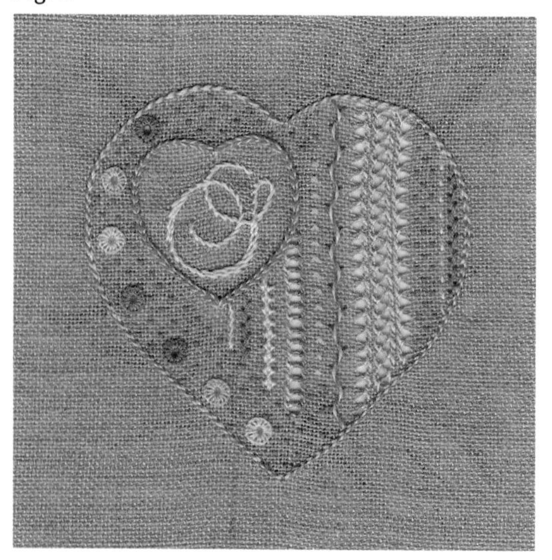

Fig. 2

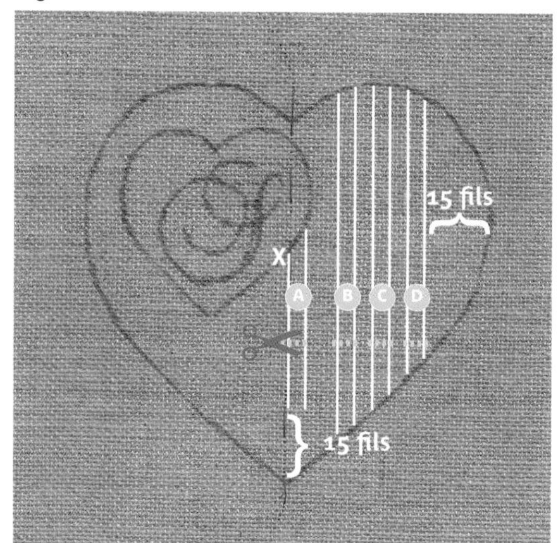

Broderie

✻ Point arrière

Travaillez avec 2 brins de Mouliné.
Brodez un carré au point arrière de 3,6 cm de côté au centre de chacun des morceaux de lin (voir fig. 1).

✻ Cœur au point de Rhodes

Travaillez avec 3 brins de Mouliné.
Suivez le diagramme 1 ci-dessous, en vous aidant de la fig. 1 : comptez 5 fils en partant de l'angle du carré et brodez les cœurs au *point de Rhodes*.

✻ Point de bouclette et point de croix

Travaillez avec 2 brins de Mouliné.
Réalisez les ***points de bouclette*** et les ***points de croix*** en suivant le diagramme 1.

Couture

Marquez d'une épingle le milieu d'un des côtés d'un carré brodé. Placez un des angles du deuxième carré brodé envers contre envers sur l'épingle. Cousez-les ensemble par un point de surjetage en bleu ciel. Rembourrez avant de terminer la couture et insérez la cordelette dans un des angles.
Réalisez au centre du biscornu une croix, au centre du motif du milieu, en prenant bien toutes les épaisseurs de tissus. Resserrez pour créer la forme du biscornu.

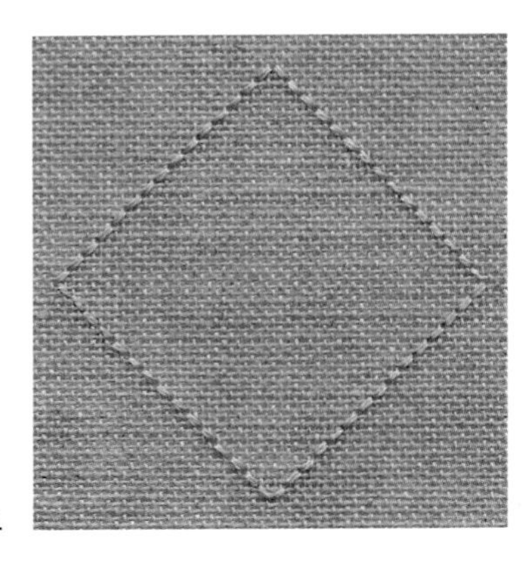

Fig. 1

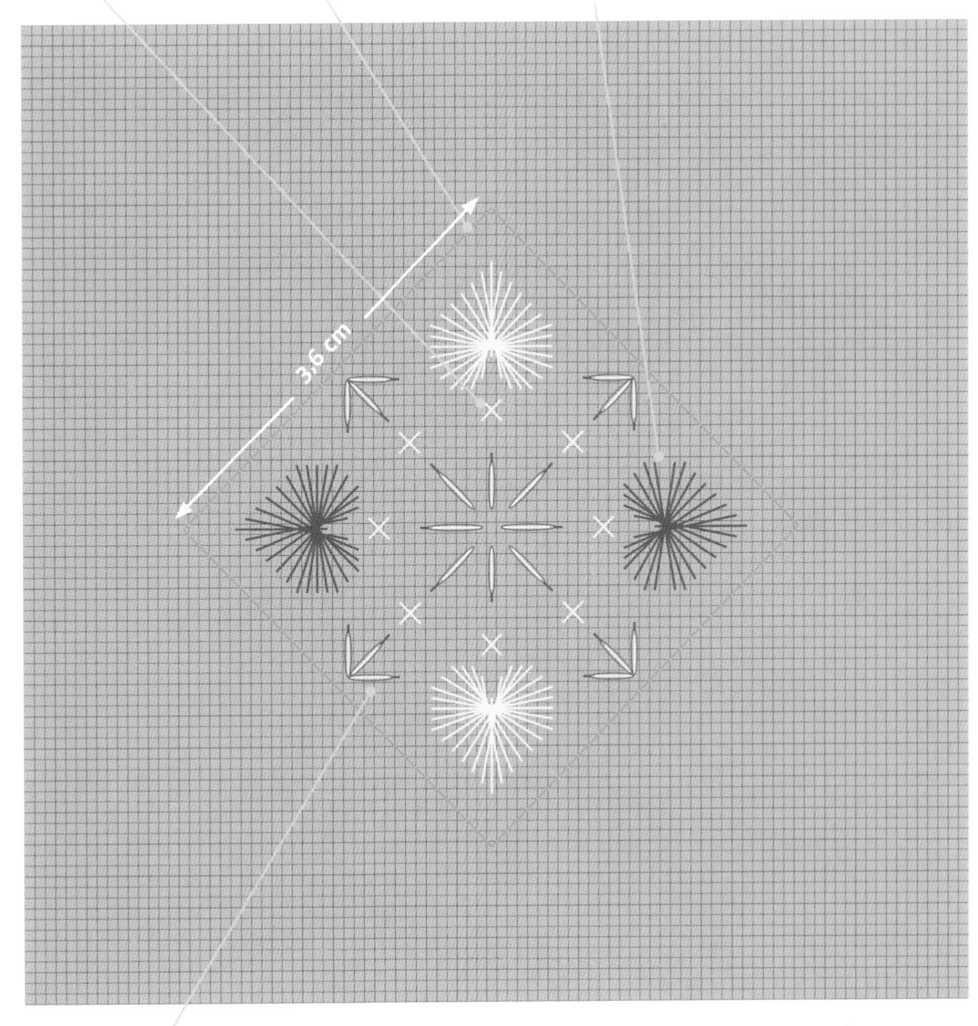

Diagramme 1

Porte-torchon

Pain
Courgettes
Tomates
Beurre
rdv lundi 17 H
LAIT PUR DE NORMANDIE
ARRIVAGE 2 FOIS PAR JOUR
Le bon lait
Ferme du Vallon 31-29-73-46

Porte-torchon

Matériel

- Toile de lin à broder bis, 12 fils/cm, dimensions variables selon le cadre choisi
- 1 échevette de Broder Spécial DMC Art. 107, n° 25 : rouge 815
- 1 échevette de Mouliné Spécial 25 DMC Art. 117 : écru
- Croquet écru, en 1 cm : 2 fois la largeur (+ 1 cm) et 2 fois la hauteur (+ 1 cm) de la fenêtre du cadre
- Cadre ou porte-torchon disposant d'une fenêtre
- Papier épais beige de la taille du fond du cadre ou de la fenêtre.
- Colle pour tissu

Technique utilisée

Jours : jours simples
Points de broderie : point avant

Dimensions

Modèle photographié : 9,5 x 19 cm

Fig. 1

Broderie et jours

✻ Préparation

Mesurez votre cadre et ajoutez 10 cm de marge sur les quatre côtés. Coupez la toile aux dimensions obtenues et surfilez-la.

Prenez les mesures intérieures de la fenêtre du cadre et bâtissez-les sur la toile (voir fig. 2).

Cousez le croquet à cheval sur les lignes de bâti (voir fig. 3).

Partez du croquet et coupez 2 fils vers l'intérieur sur chacun des quatre côtés. Rentrez les fils par un point de reprise (voir fig. 4).

✻ Réalisation des jours

Travaillez avec le fil Broder Spécial rouge sur l'endroit de la toile.

Réalisez des ***jours simples*** de 3 fils sur chacun des quatre côtés (voir fig. 5).

✻ Réalisation de la broderie

Travaillez avec 3 brins de Mouliné écru.

Comptez 3 fils sous la rivière et réalisez deux lignes de ***points avant*** (voir diagramme n° 1). Chaque point et chaque espace mesurent 3 fils (voir fig. 6 et 7).

Montage

Défaites le fond en carton de votre cadre ou de la fenêtre du porte-torchon. Appliquez dessus la toile en la centrant et en prenant soin de ne faire apparaître que la moitié du croquet. Coupez l'excédent de lin à 2 cm du bord du carton, rabattez-le sur l'envers et collez-le. Collez le papier épais aux dimensions du fond au dos pour recouvrir l'excédent de lin.

Positionnez le fond recouvert dans la fenêtre ou le cadre.

Astuce : vous pouvez glisser une plaque de métal entre le fond en carton et la toile. Vous pourrez alors utiliser des aimants et noter vos messages.

Fig. 2

Fig. 3

Fig. 4

Fig. 5

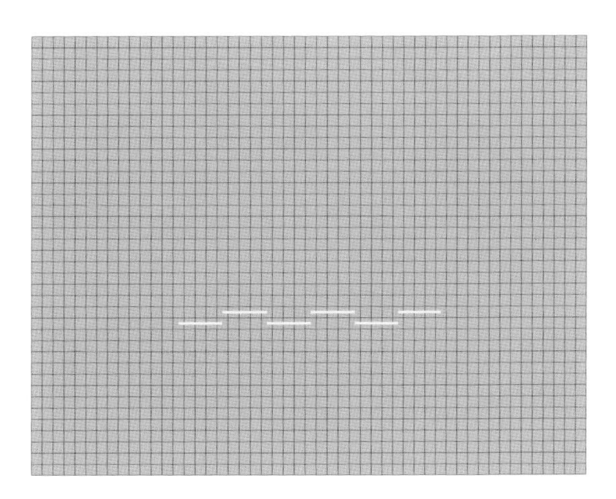

Diagramme 1

Fig. 6

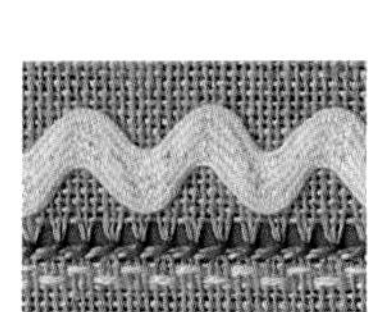

Fig. 7

✻ 30 Cadeau de naissance

Réalisation des jours

✻ Préparation

Mesurez votre cadre et ajoutez 10 cm de marge sur les quatre côtés. Coupez la toile aux dimensions obtenues et surfilez-la.
Prenez les mesures intérieures de la fenêtre du cadre et bâtissez-les sur la toile.

✻ Rivière A

Partez sous la ligne de bâti et comptez 5 mm.
En fonction de la largeur du ruban écru, coupez le nombre de fils correspondant sur chacun des quatre côtés : ici 3 fils pour un ruban de 2 mm et une toile de 12,6 fils/cm. Rentrez les fils sur l'envers par un point de reprise.

Sur chacune des rivières obtenues, réalisez des jours tissés en passant alternativement le ruban dessus puis dessous 3 fils ajourés (voir fig. 2).

Cousez le surplus de ruban sur l'envers de la toile.

✻ Rivière B

Première étape

Partez de la rivière tissée avec le ruban (rivière A), comptez 2 fils vers l'intérieur. Coupez 2 fils sur chacun des quatre côtés. Rentrez les fils sur l'envers par un point de reprise.
Travaillez avec 2 brins de Mouliné écru sur l'endroit de la toile.
Réalisez des ***jours simples*** de 3 fils en prenant les fils dont le ruban passe par-dessous : cela revient à réaliser un jour simple de 3 fils, à laisser libre les 3 fils ajourés suivants, et à continuer par un jour simple de 3 fils… (voir fig. 3)

Deuxième étape

Travaillez avec 2 brins de Mouliné taupe sur l'endroit de la toile.
Réalisez des ***jours simples*** de 3 fils sur chacun des quatre côtés, en prenant les fils dont le ruban passe par-dessus : cela revient à travailler les fils qui ont été laissés libres précédemment (voir fig. 4).

Réalisation de la broderie

Travaillez avec 1 brin de Mouliné.
Partez de la rivière de jours simples (rivière B), comptez 4 fils vers l'intérieur et réalisez une ligne au point de croix sur 1 fil de trame, en espaçant chaque point de 4 fils et en alternant la couleur du Mouliné rouge puis écru (voir fig. 5).

✻ Montage

Coupez le ruban de mousseline en deux. Positionnez harmonieusement les objets choisis au centre de la broderie et nouez les rubans sur le devant ou sur l'arrière de la toile (voir fig. 6).

Défaites le fond en carton de votre cadre. Appliquez dessus la toile en la centrant. Coupez l'excédent de lin à 2 cm du bord du carton, rabattez-le sur l'envers et collez-le. Collez le papier épais aux dimensions du fond au dos pour recouvrir l'excédent de lin. Positionnez le fond recouvert dans le cadre.

Astuce : vous pouvez remplacer les petits objets par l'initiale brodée du nouveau-né. Reportez le cœur et l'initiale choisie reproduits pages 89 et 93 au centre de la broderie. Brodez l'initiale au point de tige avec 2 brins de Mouliné rouge et le cœur au point de chaînette en taupe rebrodé d'écru.

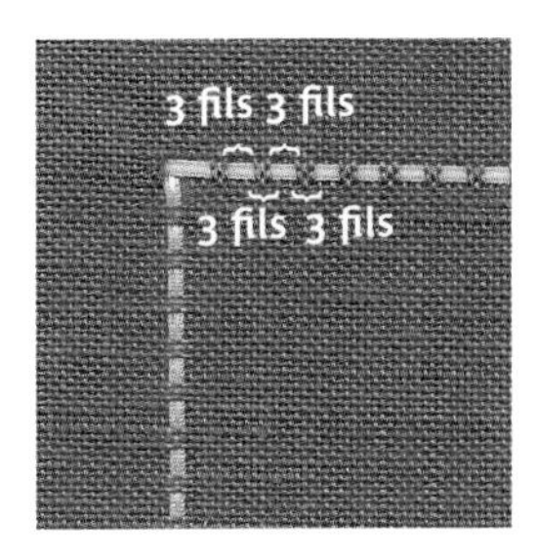

Fig. 2

Fig. 3

Fig. 4

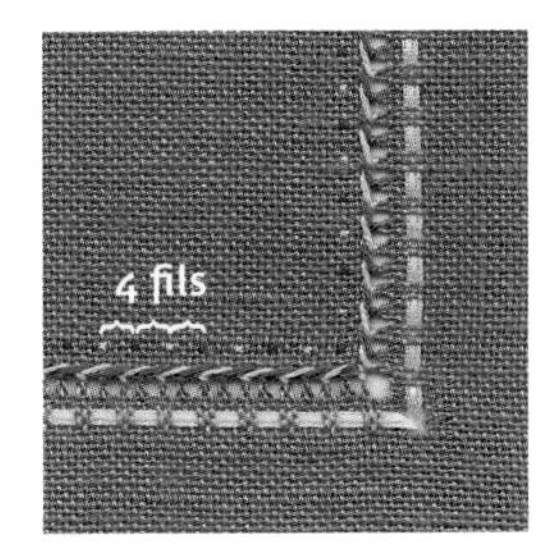

Fig. 5

Fig. 6

Matériel

- Toile de lin à broder bis, 14 fils/cm :
- 2 fois 15 x 8 cm (dessus de l'étui en deux parties)
- 43 x 6 cm (contour de l'étui)
- 15 x 12 cm (dessous de l'étui)
- 1 échevette de Mouliné Spécial 25 DMC Art. 117 : 815 rouge, vert 3022 et écru

Technique utilisée

Jours : jours simples, jours express au point de chausson rebrodé et jours échelles
Points de broderie : point avant, point de croix, point de tige et point d'épine en chaînette

Dimensions

11,5 x 8 cm

Fig. 1

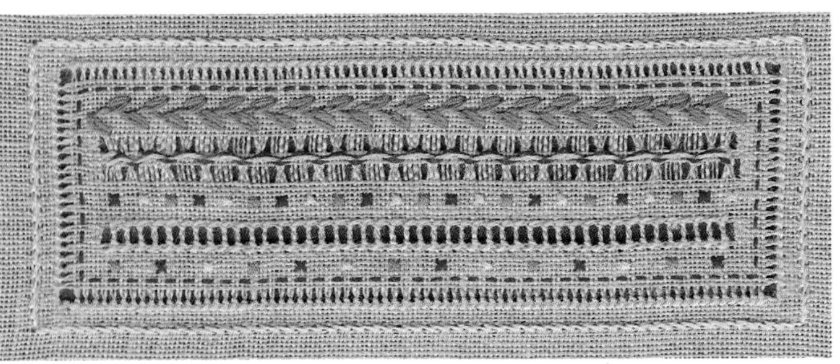

Fig. 2

Un si beau jour

Matériel

- 24 x 24 cm de toile de lin à broder taupe grisée, 12,6 fils/cm (Zweigart taupe gris, n° 7025)
- Toile de lin à broder blanche, 12 fils/cm : 2 fois 23,5 x 25 cm (dos) ; 12 x 12 cm (cœur brodé)
- 1 échevette de Mouliné Spécial 25 DMC Art. 117 : blanc, taupe 646
- 1 échevette de Coton perlé DMC Art. 116 n° 8 : blanc
- 12 x 12 cm de feutrine blanche
- 36 cm de ruban blanc, en 2 mm
- Fil transparent

Technique utilisée

Jours : jours échelles, jours simples,
Points de broderie : point de tige, point de Rhodes, point de croix, point de tricot, point d'ornement et point fantaisie

Dimensions

25 x 25 cm

Fig. 1

Fig. 2

Broderie et jours

✻ Première partie (voir fig. 1)

Surfilez la petite toile blanche.
Reportez le gabarit du cœur et des initiales reproduits pages 88 et 93 au centre de la toile.
Brodez le contour du cœur au ***point de tige*** avec le Coton perlé blanc. Surjetez-le avec 2 brins de Mouliné taupe.
Brodez les initiales au ***point de tige*** avec 2 brins de Mouliné taupe.
Pour les parties plus « épaisses » des volutes, brodez plusieurs lignes au point de tige, les unes à côté des autres.

Coupez le surplus de lin à 2 cm des bords du cœur. Rabattez-les au ras du point de tige et marquez au fer.
Appliquez la feutrine au dos du cœur et cousez-les avec du fil transparent.

✻ Deuxième partie (voir fig. 2)

Broderie des cœurs

Surfilez la toile taupe.
Travaillez avec 3 brins de Mouliné blanc.
À environ 4 cm du bord de la toile, réalisez un carré de cœurs au ***point de Rhodes*** de 15,5 x 15,5 cm : brodez 7 cœurs de 12 x 12 fils sur chaque côté en espaçant chaque cœur de 15 fils.

Partez de la pointe du cœur situé au milieu de chaque côté du carré, comptez 18 fils et réalisez un cœur au ***point de Rhodes*** de 12 x 12 fils. Brodez des points de croix sur 2 fils de trame avec 2 brins de fil à broder blanc, en suivant le diagramme 1 ci-dessous (voir fig. 3).

Préparation de la toile

Partez du coin droit du carré de cœurs au point de Rhodes. Comptez 6 fils à partir du haut des cœurs. Puis, coupez et rentrez les fils sur l'envers par un point de reprise au suivant cet ordre (voir fig. 4).
A Coupez 3 fils.
B Gardez 4 fils.
C Coupez 3 fils.
D Gardez 4 fils.
E Coupez 3 fils.
F Gardez 4 fils.
G Coupez 2 fils.
H Comptez 6 fils à partir de la pointe du cœur et coupez 3 fils.
Préparez la toile ainsi sur les 4 côtés du carré.

Rappel : Coupez toujours les fils au milieu des rivières.

Fig. 3

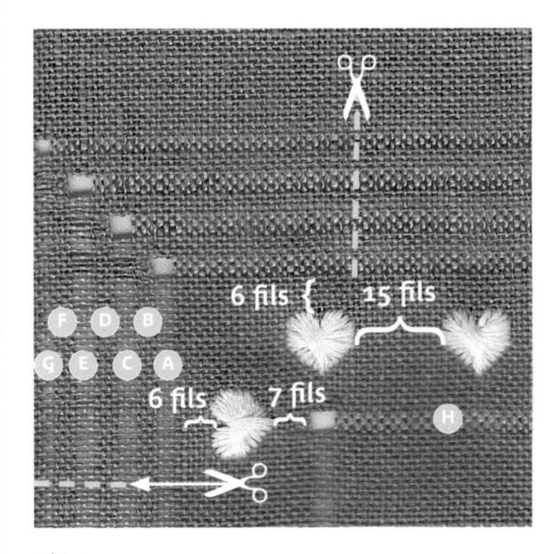

Fig. 4

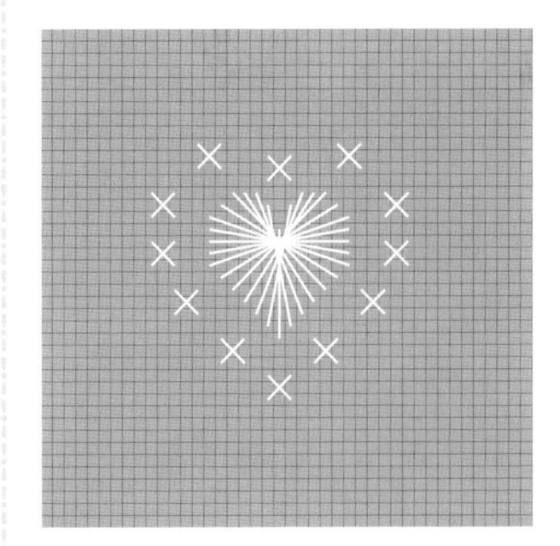

Diagramme 1

Réalisation des jours

Rivière H

Travaillez avec 2 brins de Mouliné blanc sur l'endroit de la toile.

Réalisez des ***jours échelles*** de 4 fils.

Rivières A et C

Travaillez avec 2 brins de Mouliné blanc sur l'endroit de la toile.

Réalisez des ***jours simples*** de 3 fils en vis-à-vis.

Rivière E

Travaillez avec 2 brins de Mouliné blanc sur l'endroit de la toile.

Réalisez des ***jours simples*** de 3 fils (voir fig. 5).

Rivière D

Travaillez avec 2 brins de Mouliné blanc sur l'endroit de la toile.

Déterminez le milieu de la rivière D et faites un point de tricot. Sortez l'aiguille en 1 au milieu des 4 fils qui ont été conservés. Glissez-la derrière la toile entre 2 faisceaux de jours simples en 2. Faites-la ressortir en 3, 4 fils après le point 1 sur la même ligne. Continuez ainsi (voir fig. 6 et 7).

Retournez l'ouvrage à 180 ° repétez l'opération en dessous. Puis travaillez l'autre moitié de la rivière de la même manière (voir fig. 8 et 9).

Rivière G

Travaillez avec 4 brins de fil à broder taupe sur l'endroit de la toile.

Réalisez des points d'ornement de 4 fils (voir fig. 10).

Réalisation de la troisième partie

Surfilez les deux grandes toiles blanches.

Travaillez avec 2 brins de taupe sur l'endroit de la toile.

Suivez le diagramme 2 ci-dessous et réalisez un carré de 21,5 x 21,5 cm : sortez l'aiguille en 1 et piquez en 2. Ressortez en 3 et piquez en 4. Continuez ainsi sur toute la longueur (voir fig. 11).

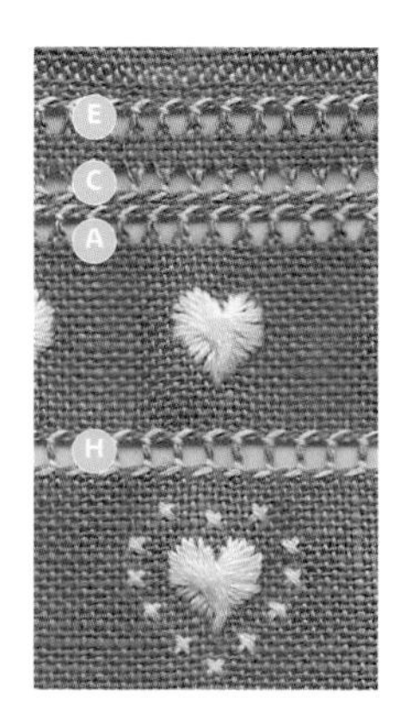

Fig. 5

Fig. 6

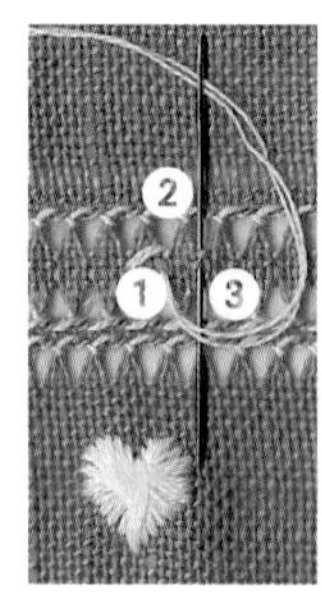

Fig. 7

Fig. 8

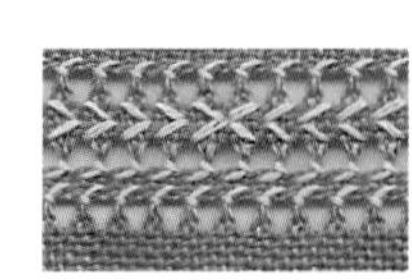

Fig. 9

Fig. 10

Fig. 11

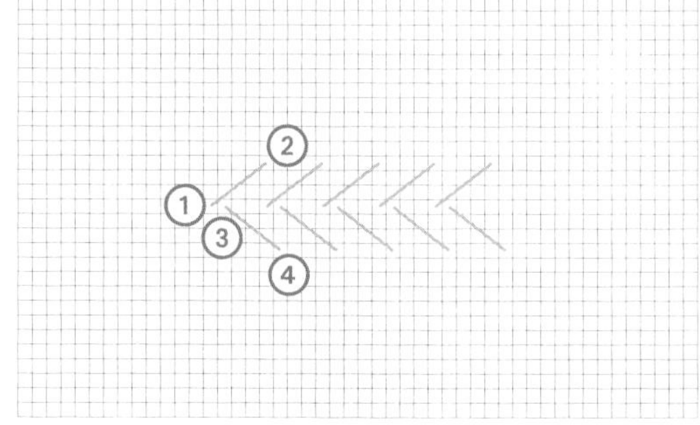

Diagramme 2

✻ Montage

Pour le carré de lin taupe, gardez 6 fils après le point d'ornement et coupez le surplus de lin. Surfilez la toile.

Rabattez les bords au ras du point d'ornement et marquez au fer. Cousez le rentré avec un fil transparent juste en dessous du point d'ornement.

Épinglez le carré de lin taupe au milieu du carré brodé blanc. Épinglez le cœur brodé au centre du carré de lin taupe.

Assemblez ces 3 toiles en piquant verticalement au milieu du cœur brodé avec un fil transparent.

Pour réaliser le dos du coussin, faites un repli sur un grand côté de chacun des rectangles de lin blanc et piquez-les. Faites se chevaucher, endroit contre endroit, les bords cousus pour obtenir un carré de 21,5 x 21, 5 cm. Cousez sur l'endroit les deux côtés sur 4 cm.

Épinglez endroit contre endroit les deux carrés de toile blanche (le carré brodé et le carré assemblé) et piquez-les sur les quatre côtés. Retournez sur l'endroit.

Réalisez un coussin de même dimension et insérez-le dans la housse.

Insérez le ruban aux endroits souhaités pour y attacher les alliances.

Rivière C

Travaillez avec 2 brins de Mouliné rose 225 sur l'endroit de la toile.

Réalisez des ***jours simples*** de 3 fils.

Rivière D

Travaillez avec 6 brins de Mouliné sur l'endroit de la toile.

Réalisez des jours tissés en passant alternativement une aiguillée de mauve clair 3861 sous puis sur 3 fils ajourés.

Réalisez ensuite un tissage opposé en passant cette fois alternativement une aiguillée de mauve moyen 3860 sous puis sur 3 fils ajourés.

Rivières E, F et G

Travaillez avec 2 brins de fil à broder sur l'endroit de la toile.

E Réalisez des ***jours simples*** de 6 fils avec le mauve moyen (3860).

F Réalisez des ***jours échelles*** de 3 fils avec l'écru (3866).

G Réalisez des ***jours simples*** de 6 fils avec le mauve moyen (3860), en vis-à-vis de la rivière E.

Montage

Marquez au fer les dimensions finales de la trousse indiquées par les fils de bâti (A). Découpez l'excédent de lin à 2 cm du bâti. Pliez en deux dans la hauteur le rectangle brodé, endroit contre endroit. Piquez les côtés sur la ligne de bâti (A). Applatissez chaque coin inférieur en superposant la couture latérale et celle du bord inférieur de façon à former un triangle dont la base mesure 3 cm. Marquez au fer et vérifiez sur l'endroit que la base de la trousse arrive bien au ras du point de tige beige. Décousez le bâti. Sur l'envers, piquez avec du fil transparent la base du triangle, puis rabattez le triangle sur le fond. Retournez sur l'endroit.

Répétez l'opération pour la doublure, pliée endroit contre endroit. Glissez-la dans la trousse envers contre envers et faites un rentré sur le haut de la trousse de la toile et de la doublure. Insérez la fermeture Éclair entre les deux et cousez ensemble les 3 épaisseurs (trousse, fermeture et doublure). Nouez le pompon.

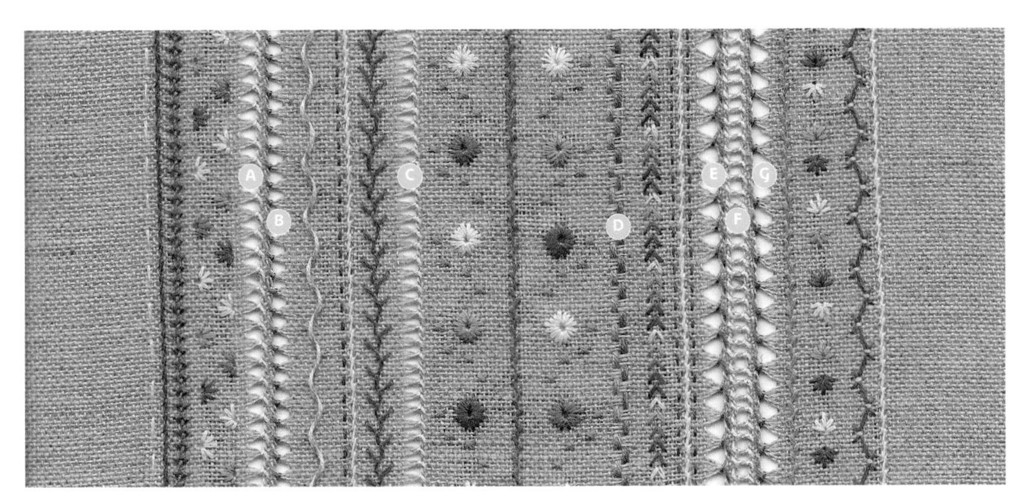

Fig. 2

Dessus de plateau

Matériel

- Toile de lin à broder blanc, 12 fils/cm, dimensions variables selon le plateau choisi (ici 54 x 35 cm)
- 1 échevette de Mouliné Spécial 25 DMC Art. 117 : blanc, marron clair 453
- 1 échevette de Broder Spécial DMC Art. 107, n° 25 : blanc
- 1 échevette de Coton perlé DMC Art. 116, n° 12 : blanc

Technique utilisée

Jours : jours échelles, jours simples, jours en V, jours au point de chausson
Points de broderie : point quadrillé, point de chaînette, point de tige, point enroulé, point de croix, point avant, point de Rhodes

Dimensions

Modèle photographié : 50 x 30 cm
Motif central ajouré et brodé : 39 x 19 cm

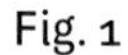

Fig. 1

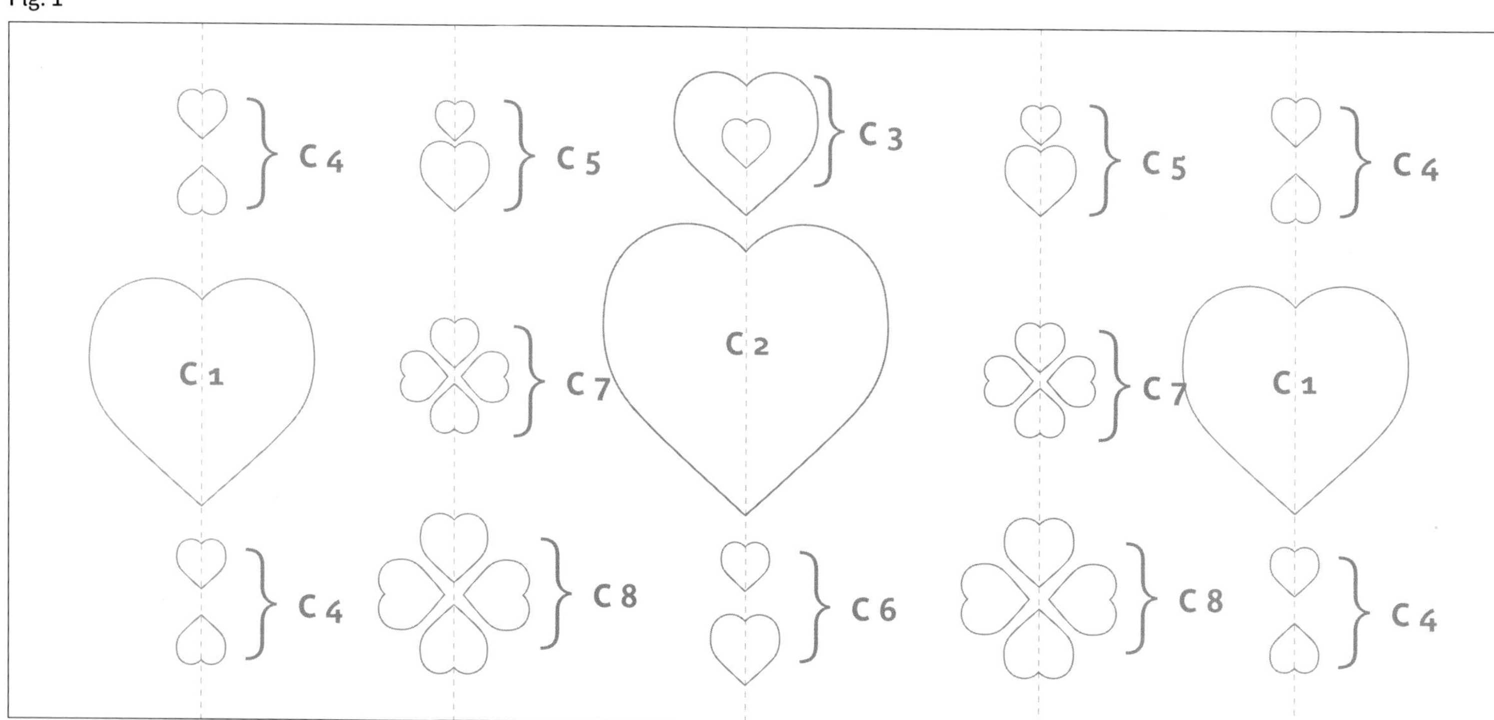

Préparation

Mesurez l'intérieur de votre plateau et ajoutez 4 cm sur chaque côté. Coupez la toile aux dimensions obtenues. Surfilez la toile.

Sur l'envers de la toile, marquez au fer les dimensions finales du dessus de plateau.

Faites un ourlet de 2 cm avec un rentré de 1 cm sur les 4 côtés du rectangle. Rabattez ensuite cet ourlet une dernière fois sur l'envers. Marquez au fer.

Contours

* Jours brodés (voir fig. 1)

Rivière A

Sur l'envers de la toile, coupez 2 fils sur chacun des quatre côtés, au niveau où l'ourlet se positionne sur la toile. Rentrez les fils sur l'envers par un point de reprise.

Travaillez avec le fil Broder Spécial blanc et réalisez des ***jours simples*** de 3 fils en prenant la toile et l'ourlet sur chacun des quatre côtés (voir fig. 2).

Arrivé au niveau des angles de l'ourlet, pliez-les en biais et coupez le surplus de lin en conservant une marge de 1 cm. Faites des rentrés de 1 cm et positionnez-les à plat pour obtenir une diagonale bien nette et cousez-les ensemble à la main.

Rivière B

Sur l'envers de la toile, partez de la rivière A et comptez 12 fils sur chacun des quatre côtés.

Coupez 2 fils et rentrez-les par un point de reprise.

Travaillez sur l'envers de la toile avec le fil Broder Spécial blanc et réalisez des ***jours simples*** de 3 fils sur chacun des quatre côtés (voir fig. 3).

Rivière C

Sur l'envers de la toile, partez de la rivière B et comptez 37 fils sur chacun des quatre côtés.

Coupez 3 fils et rentrez-les par un point de reprise.

Travaillez sur l'envers de la toile avec le fil Broder Spécial blanc et réalisez des ***jours en V*** de 4 fils sur chacun des quatre côtés (voir fig. 4 et 5).

Remarque : En fonction de la taille du plateau choisi, l'espacement et donc le nombre de fils entre la rivière B et la rivière C pourront varier. La taille de la rivière C qui encadre la partie brodée, en revanche, est fixe (19 x 39 cm) car elle sert de repère pour reporter le patron.

Fig. 2

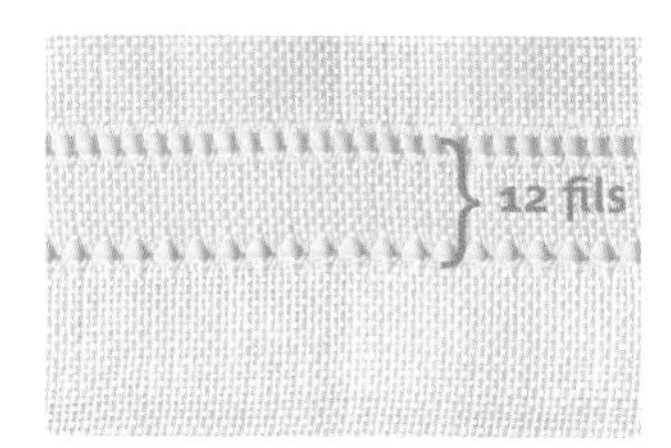

Fig. 3

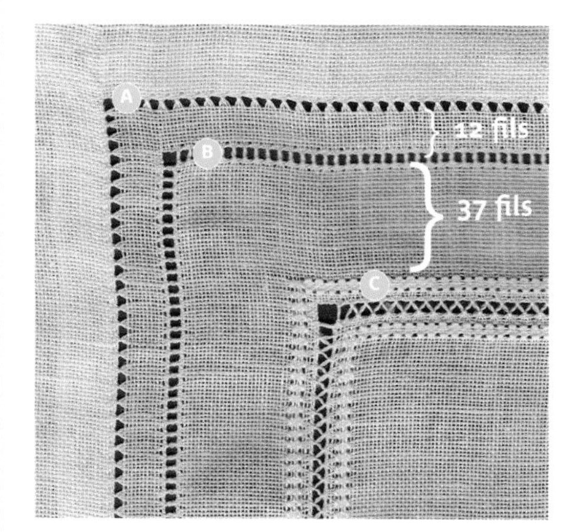

Fig. 4

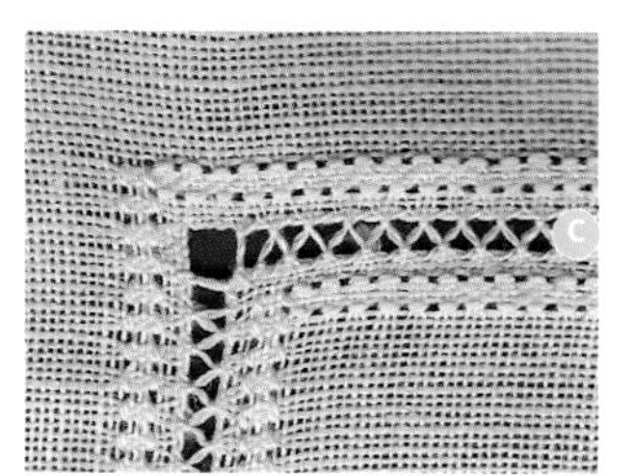

Fig. 5

* Broderie au point quadrillé de la rivière C

Travaillez avec le fil Broder Spécial blanc sur l'endroit de la toile.

Au-dessus et en dessous des jours en V, comptez 4 fils.

Réalisez des ***points quadrillés***, de 3 fils de hauteur et 3 fils de largeur (voir fig. 6).

Réalisation du rectangle brodé

* Préparation du rectangle intérieur brodé

Pliez la toile en quatre afin de repérer le centre. Bâtissez une ligne en la centrant dans la hauteur et une seconde en la centrant dans la largeur.

Puis pliez la toile une nouvelle fois en deux dans le sens de la largeur, puis encore une fois dans le sens de la largeur. Bâtissez les deux lignes obtenues (voir fig. 7).

Ces bâtis serviront de repères pour reporter le gabarit.

Reportez le gabarit reproduit page 91 en alignant les lignes de bâti et les repères du patron sur la partie gauche de la toile. En vous aidant des lignes de bâti, reportez ensuite la partie gauche du patron sur la partie droite de la toile pour reconstituer le modèle entier.

* Réalisation des cœurs n° 1 (C 1)

Point de chaînette

Travaillez sur l'endroit de la toile avec 3 brins de Mouliné marron clair.

Réalisez le contour du premier cœur à droite au ***point de chaînette***.

Préparation de la toile

Sur l'envers de la toile, laissez 2 fils verticaux au centre.

De chaque côté de ces 2 fils, coupez et rentrez les fils par un point de reprise en suivant cet ordre :

Coupez 1 fil. Gardez 3 fils.

Coupez 1 fil. Gardez 3 fils.

Continuez ainsi jusqu'au point de chaînette (voir fig. 8 à 10).

Puis, sur l'envers de la toile, partez de la pointe du haut du cœur, coupez et rentrez les fils par un point de reprise en suivant cet ordre :

Coupez 1 fil horizontal. Gardez 3 fils.

Coupez 1 fil horizontal. Gardez 3 fils.

Continuez ainsi jusqu'au point de chaînette (voir fig. 11 à 12).

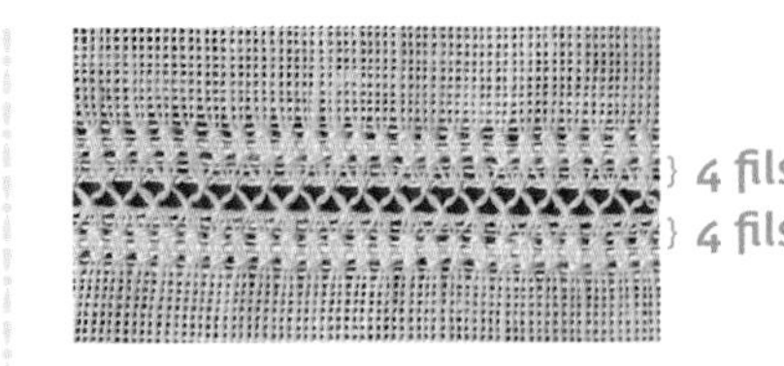

Fig. 6

Fig. 7

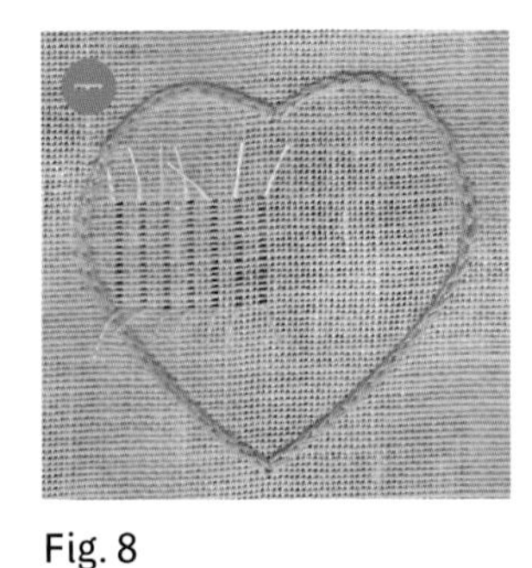

Fig. 8

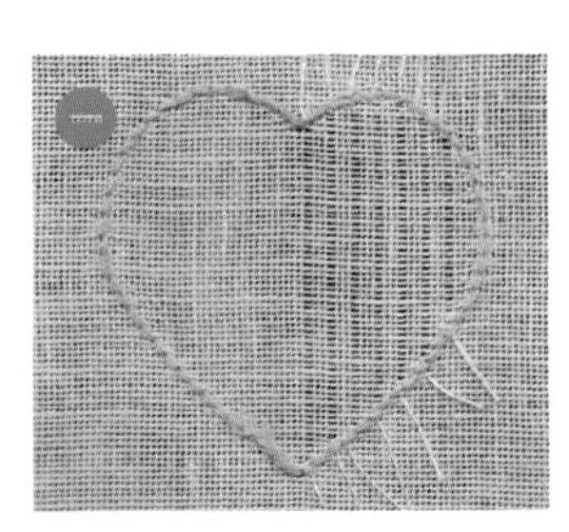

Fig. 9

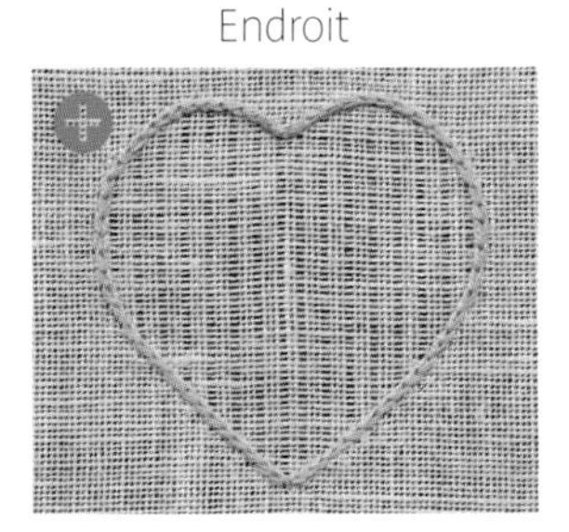

Fig. 10

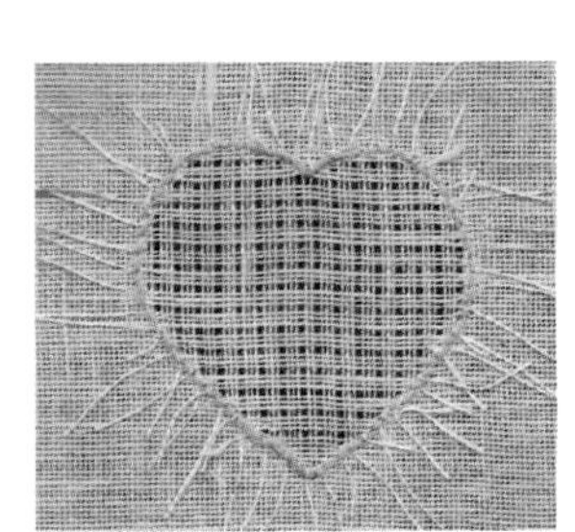

Fig. 11

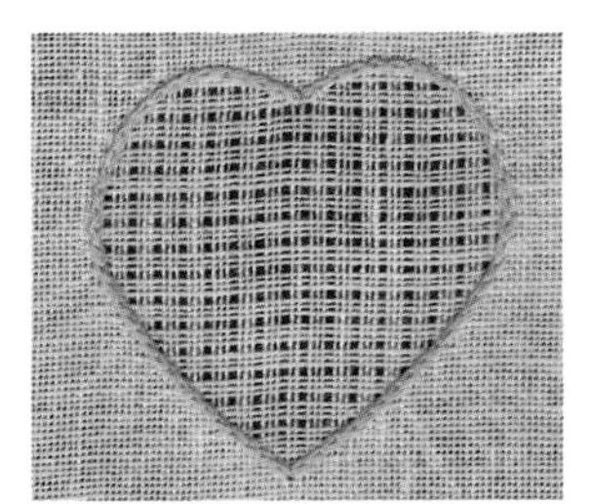

Fig. 12

Point enroulé

Travaillez sur l'endroit de la toile avec le fil Broder Spécial blanc.
Partez de la pointe du bas du cœur et réalisez un premier point enroulé. Brodez une seconde ligne au point enroulé. Continuez sur toute la partie gauche en vous référant au diagramme 1 ci-dessous (fig. 14 à 17).
Recommencez le même travail à droite.

Fig. 13

Fig. 14

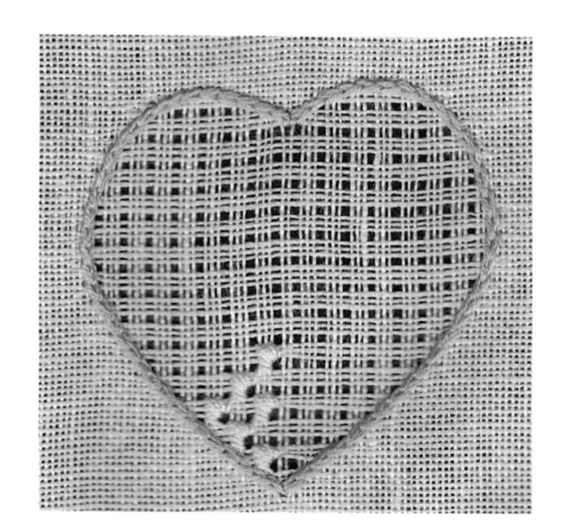

Fig. 15

Fig. 16

Fig. 17

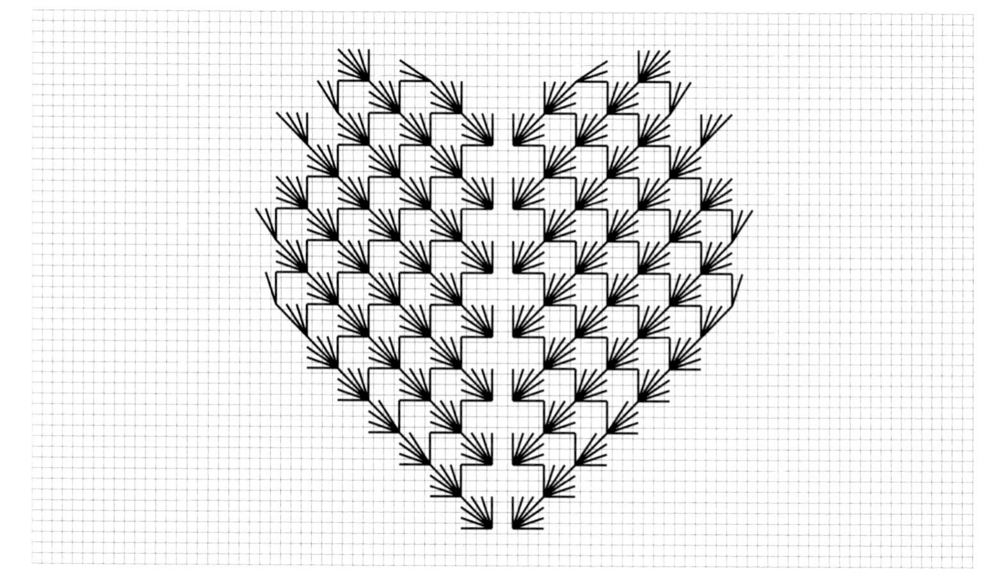

Diagramme 1

Point de tige

Travaillez sur l'endroit de la toile avec 2 brins de Mouliné blanc.

Brodez le contour du cœur au ***point de tige*** au ras du point de chaînette.

Répétez les mêmes opérations pour le second cœur à droite.

Réalisation du cœur n° 2 (C 2)

* Préparation de la toile des rivières A et B

A Sur l'envers de la toile, partez de la pointe du haut du cœur, coupez 2 fils et rentrez les fils par un point de reprise.

B Partez de la rivière A, comptez 4 fils, coupez 2 fils et rentrez les fils par un point de reprise (voir fig. 18).

* Réalisations des rivières A et B

Travaillez avec 3 brins de Mouliné marron clair sur l'endroit de la toile.

A Réalisez des ***jours simples*** de 4 fils. Retournez le travail à 180°.

B Réalisez des ***jours simples*** de 4 fils. Les jours simples de la rivière B se finissent là où se terminent ceux de la rivière A (voir fig. 19).

Point de croix

Travaillez avec 2 brins de Mouliné marron clair sur l'endroit de la toile.

Partez de la rivière A vers la droite. Comptez 2 fils et réalisez une première ligne verticale de point de croix de 2 fils de trame en les espaçant de 2 fils.

Réalisez 3 nouvelles lignes de ***point de croix*** en vous référant au diagramme 2 page 67.

Fig. 18

Fig. 19

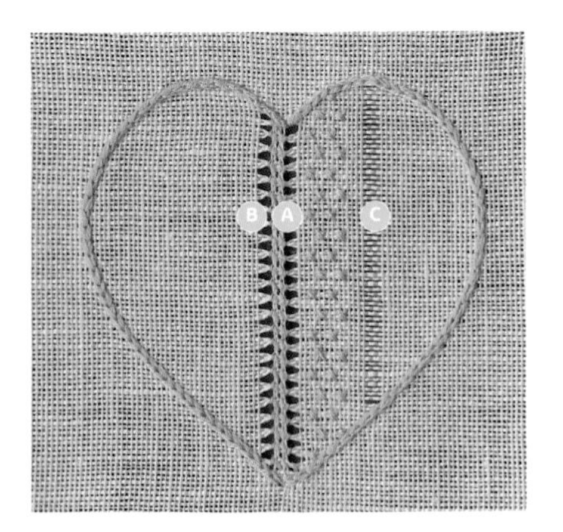

Fig. 20

Préparation de la toile et réalisation de la rivière C

Sur l'envers de la toile, partez du point de croix le plus à droite, comptez 4 fils. Coupez 3 fils et rentrez les fils par un point de reprise (voir fig. 20).

Travaillez avec 2 brins de Mouliné sur l'endroit de la toile. Réalisez des ***jours express deux fois brodés au point de chausson*** de 4 fils avec le Mouliné marron clair, puis avec le Mouliné blanc (voir fig. 21 à 23).

Point quadrillé

Travaillez avec 2 brins de Mouliné marron clair sur l'endroit de la toile.
Réalisez le ***point quadrillé*** en suivant le diagramme 2.

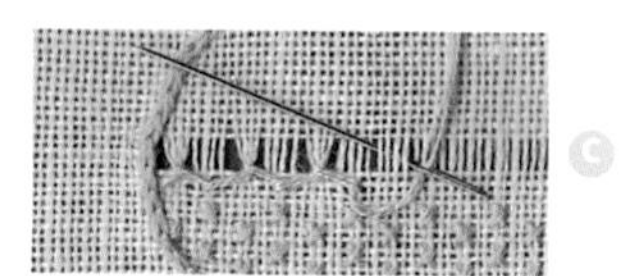

Fig. 21

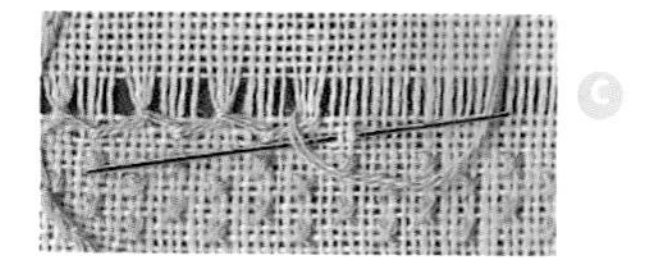

Fig. 22

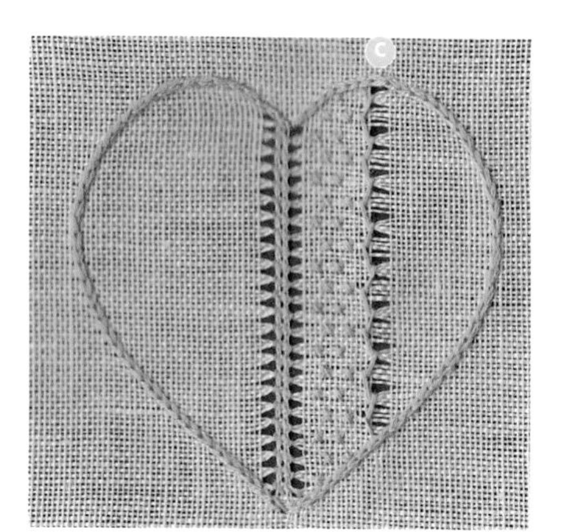

Fig. 23

Diagramme 2

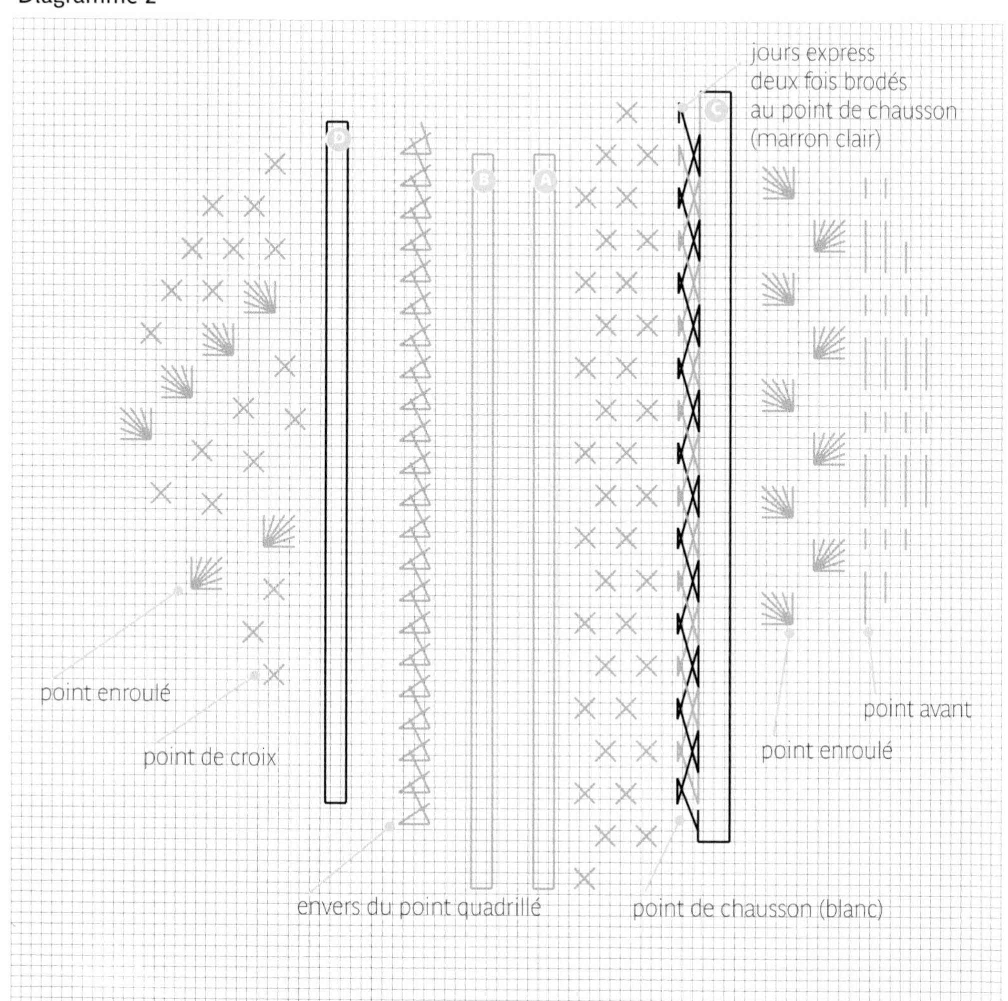

Préparation de la toile et réalisation de la rivière D

Sur l'envers de la toile, partez du point quadrillé, comptez 5 fils, coupez 2 fils et rentrez les fils par un point de reprise.
Travaillez avec le fil Broder Spécial blanc sur l'envers de la toile. Réalisez des ***jours échelles*** de 2 fils (voir fig. 24).

Point enroulé, point de croix et point avant

Travaillez avec 2 brins de Mouliné marron clair sur l'endroit de la toile.
Réalisez les différents points de broderie en suivant le diagramme 2 (voir fig. 25).

* Réalisation du cœur n° 3 (C 3)

Partez de la pointe du haut du cœur n° 2 et comptez 8 fils vers le haut.
Travaillez avec 2 brins de Mouliné marron clair sur l'endroit de la toile. Réalisez le point enroulé et le ***point de Rhodes*** en suivant le diagramme 3 (voir fig. 26).

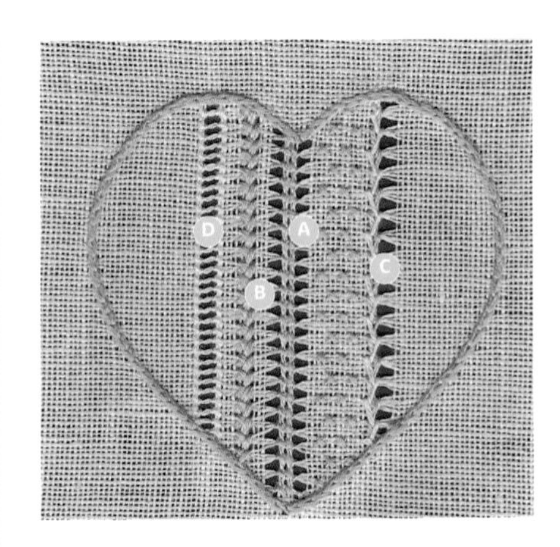

Fig. 24

Fig. 25

Diagramme 3

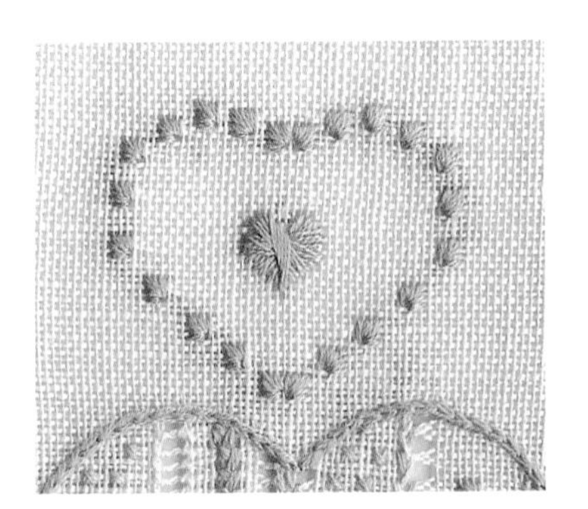
Fig. 26

Réalisation des cœurs au point de Rhodes (voir fig. 1 et 27)

Pour chaque combinaison de motifs, il existe 2 formats de cœurs (cf diagramme 4) :

- Grand cœur,
- Petit cœur.

Sortez l'aiguille en 1, piquez en 2, ressortez en 3 et repiquez en 4. Continuez ainsi en suivant la progression des points.

Cœur n° 4 (C 4)

Il s'agit des cœurs en haut et en bas à droite de la toile et ceux en haut et en bas à gauche.

Travaillez avec 2 brins de Mouliné marron clair sur l'endroit de la toile. Réalisez 2 petits cœurs au ***point de Rhodes*** en vous aidant du diagramme 4 et de la fig. 28.

Cœur n° 5 (C 5)

Il s'agit des cœurs au milieu en haut.

Travaillez avec 2 brins de Mouliné marron clair sur l'endroit de la toile. Réalisez 1 petit et 1 grand cœur au ***point de Rhodes*** en vous aidant du diagramme 4 et de la fig. 29.

Cœur n° 6 (C 6)

Il s'agit des cœurs au milieu en bas.

Travaillez avec 2 brins de Mouliné marron clair sur l'endroit de la toile. Réalisez 1 petit et 1 grand cœur au ***point de Rhodes*** en vous aidant du diagramme 4 et de la fig. 30.

Cœur n° 7 (C 7)

Il s'agit de la série de 4 cœurs au milieu.

Travaillez avec 2 brins de Mouliné marron clair sur l'endroit de la toile. Réalisez 4 petits cœurs au ***point de Rhodes*** en vous aidant du diagramme 5 et de la fig. 31.

Cœur n° 8 (C 8)

Il s'agit de la série de 4 cœurs au milieu en bas.

Travaillez avec 2 brins de Mouliné marron clair sur l'endroit de la toile. Réalisez 4 grands cœurs au ***point de Rhodes*** en vous aidant du diagramme 6 et de la fig. 32.

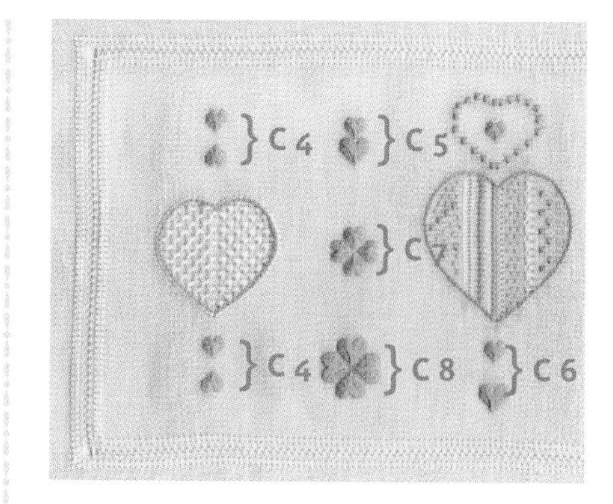

Fig. 27

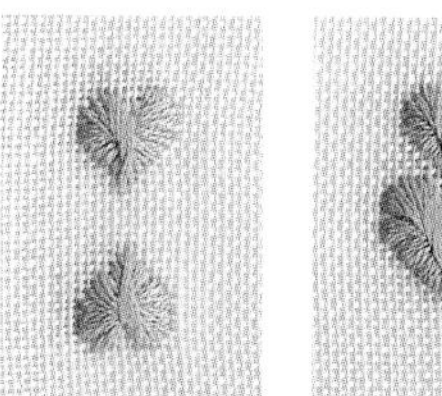

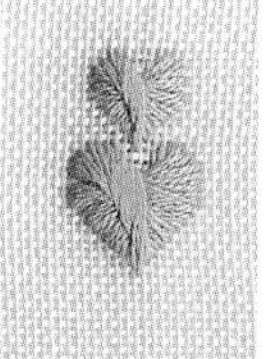

Fig. 28 Fig. 29 Fig. 30

Fig. 31 Fig. 32

Grand cœur

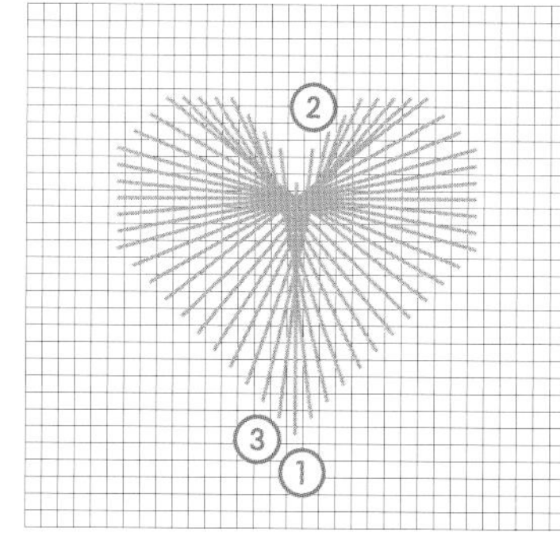

Petit cœur

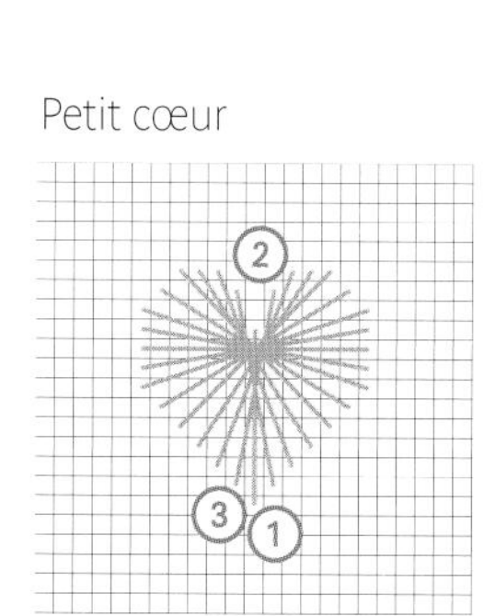

Diagramme 4

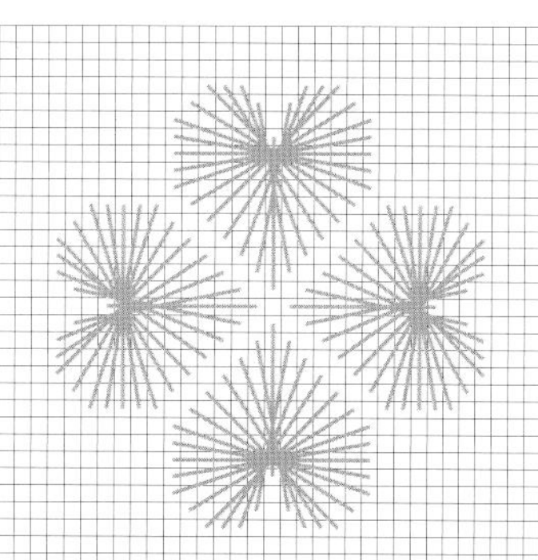

Diagramme 5

Diagramme 6

Coton

Cot

Matériel

- 1 échevette de Mouliné Spécial 25 DMC Art.117 : gris 414, blanc
- 1 échevette de Coton Perlé DMC Art.116 n° 8 et n° 12 : blanc
- 1 échevette de Broder Spécial DMC Art. 107 n° 25 : blanc

Grand modèle « Coton »

- 48 x 16 cm de toile de lin à broder blanche, 12 fils/cm
- 13 x 13 cm de toile de lin blanche (fond)
- 45 x 9 cm et 13 x 13 cm de tissu uni gris
- 2 fois 48 cm de ruban gris à pois blancs, en 1 cm de large
- 48 cm de ruban blanc à pois noirs, en 1 cm de large
- 45 x 9 cm et 13 x 13 cm de plastique transparent semi-rigide de type polyphane

Modèle moyen « Cie »

- 40 x 15 cm de toile de lin à broder blanche, 12 fils/cm
- 12 x 12 de toile de lin blanche (fond)
- 40 x 15 cm et 11 x 11 cm de tissu uni gris
- 2 fois 40 cm de ruban gris à pois blancs, en 1 cm de large
- 40 cm de ruban blanc à pois noirs, en 1 cm de large
- 37 x 8,5 cm et 11 x 11 cm de plastique transparent semi-rigide de type polyphane

Petit modèle « & »

- 34 x 14 cm de toile de lin à broder blanche, 12 fils/cm
- 11,5 x 11,5 de toile de lin blanche (fond)
- 31 x 8 cm et 9,5 x 9,5 cm de tissu uni gris
- 2 fois 34 cm de ruban gris à pois blancs, en 1 cm de large
- 34 cm de ruban blanc à pois noirs, en 1 cm de large
- 34 x 14 cm de plastique transparent semi-rigide de type polyphane
- Feutre effaçable

Technique utilisée

Jours : jours simples, jours échelles, jours échelles révisés, jours en V
Points de broderie : point de plume, point avant, point de chaînette surbrodé, point de tige

Dimensions

Grand modèle : 11 x 13 cm
Modèle moyen : 9,5 x 12 cm
Petit modèle : 7,5 x 10,5 cm

Fig. 1

Fig. 2

Fig. 3

Réalisation du grand modèle « Coton »

✻ Face avant (voir fig. 1)

Broderie de la première ligne au point de plume

Surfilez la toile.

Disposez le grand côté de la toile face à vous. Partez du petit côté droit et comptez 13 cm à droite et 3 cm du grand côté du haut.

Travaillez avec 2 brins de Mouliné sur l'endroit de la toile.

Réalisez 17 points de plume : faites une première rangée en gris de 2 fils en hauteur sur 6 fils en largeur, puis une deuxième rangée en blanc de 3 fils en hauteur au-dessus de la précédente et enfin une troisième rangée en gris de 4 fils en hauteur au-dessus de la précédente (voir fig. 5).

Préparation de la rivière

Travaillez sur l'envers de la toile

Partez 4 fils sous la ligne de points de plume. Coupez et rentrez les fils par un point de reprise au suivant cet ordre (voir fig. 6).

A Coupez 3 fils. Gardez 2 fils.

B Coupez 2 fils. Gardez 4 fils.

C Coupez 2 fils. Gardez 2 fils.

D Coupez 3 fils.

Broderie du rectangle

Point de plume

Travaillez avec 2 brins de Mouliné sur l'endroit de la toile.

Partez 4 fils sous la rivière. Réalisez un rectangle au point de plume de 17 points (largeur) x 15 points (hauteur) : faites une première rangée en gris de 2 fils en hauteur sur 6 fils en largeur, puis une deuxième rangée en blanc de 3 fils en hauteur au-dessus de la précédente (voir fig. 7).

Attention : Commencez la rangée P exactement à l'opposée de la P' (voir fig. 8).

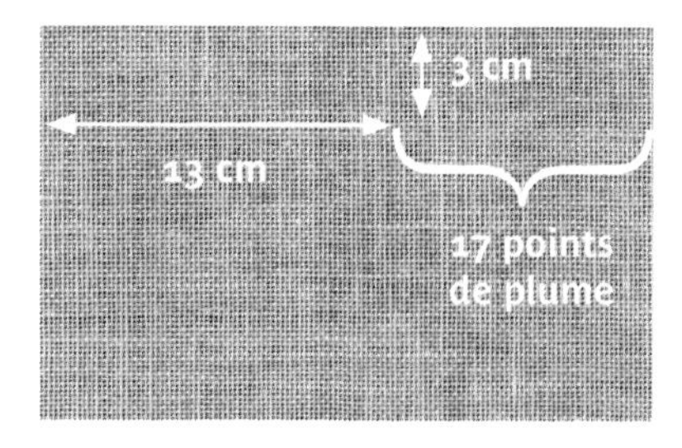

Fig. 4

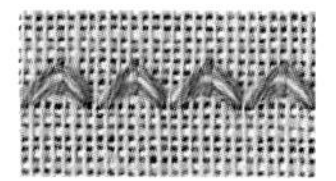

Fig. 5

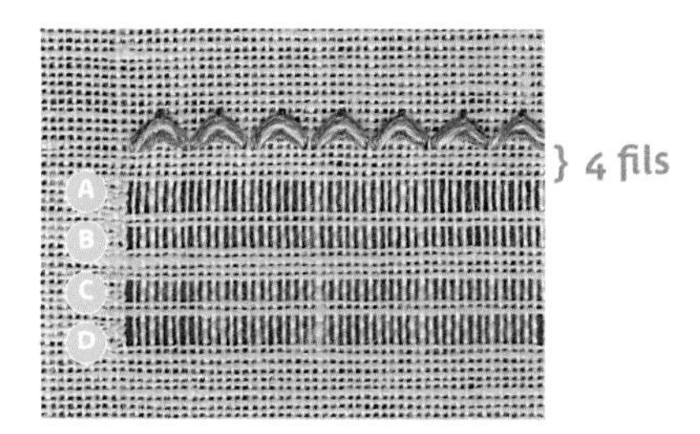

Fig. 6

Fig. 7

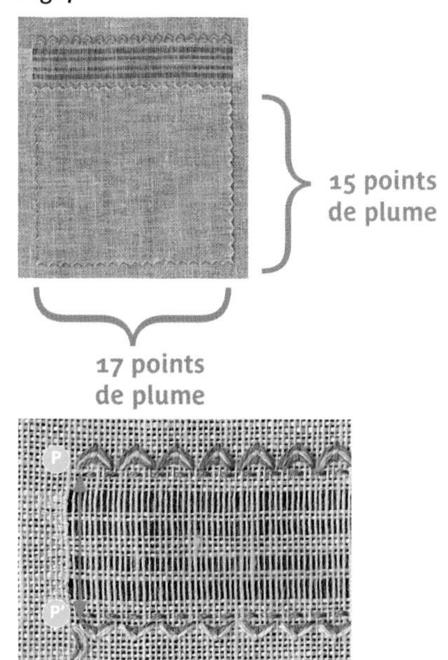

Fig. 8

Point avant

Travaillez avec 2 brins de Mouliné gris sur l'endroit de la toile.

En 1, comptez 1 fil sous la ligne au point de plume et réalisez une ligne au point avant. Chaque point et chaque espace mesure 2 fils. Réalisez le même travail en 2.

Partez du rectangle au point de plume, comptez 2 fils vers l'extérieur. Réalisez un contour au point avant (voir fig. 9 et 10).

Broderie du mot « Coton »

À l'aide du feutre effaçable à l'eau, reportez le mot « Coton », reproduit page 92.

Travaillez avec 2 brins de Mouliné gris sur l'endroit de la toile. Brodez le « C » au point de chaînette. Surjetez ce dernier avec le Coton Perlé blanc n° 12.

Brodez « oton » au point de tige, avec 2 brins de Mouliné gris. Pour les parties plus épaisses des différentes lettres, brodez plusieurs lignes au point de tige, les unes à côté des autres (fig. 11 et 12).

Réalisation de la rivière

Rivières A et D

Travaillez avec le fil Broder Spécial n° 25 blanc sur l'envers de la toile.

Réalisez des ***jours simples*** de 4 fils. Attention, pour le premier et le dernier faisceau, faites des jours échelles de 2 fils (voir fig 14 à 16).

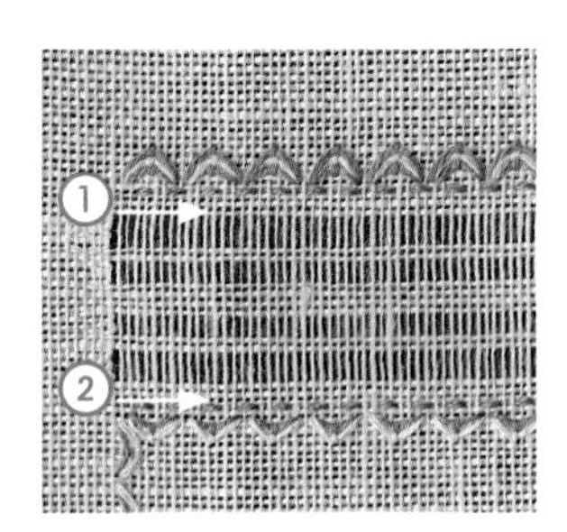

Fig. 9

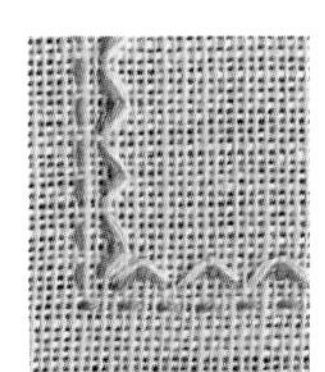

Fig. 10

Fig. 11

Fig. 12

Fig. 13

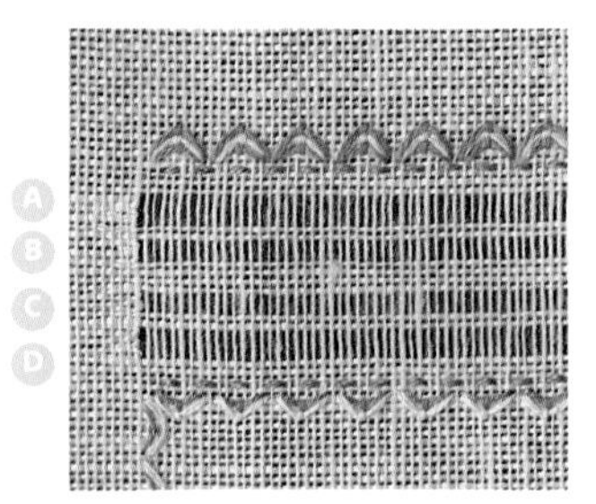

Fig. 14

Fig. 15

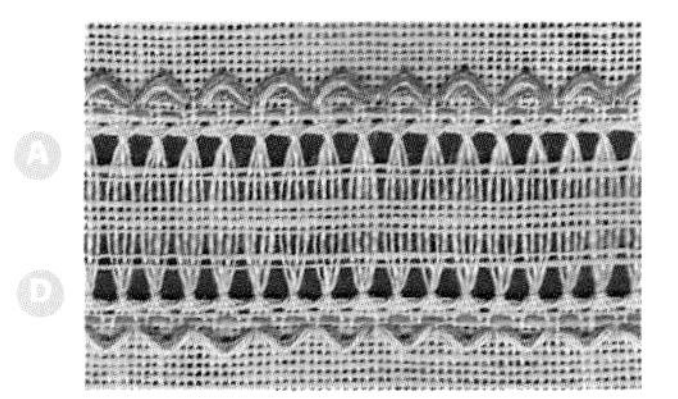

Fig. 16

Rivières B et C

– *Jours simples révisés*

Travaillez avec 2 brins de Mouliné gris sur l'endroit de la toile.

Réalisez des jours simples révisés : En B, faites des jours simples de 4 fils ; tournez votre travail à 180 ° et réalisez en C une seconde rangée de jours simples de 4 fils exactement à l'opposé de celle précédemment réalisée en B. Lors de la réalisation de la deuxième ligne de jours simples, chaque jour se termine là où se terminent les jours précédemment réalisés (fig. 17 à 19).

– *Jours échelles révisés*

Travaillez avec 2 brins de Mouliné gris sur l'endroit de la toile.

Retravaillez B et C et réalisez des jours échelles révisés : réalisez des jours simples de 4 fils (attention, lors de la réalisation de ces jours simples, chaque point se termine « dans le vide » c'est-à-dire sous les 2 fils conservés) ; tournez le travail à 180 ° et réalisez une seconde rangée de jours simples de 4 fils (fig. 20 à 22).

Remarque : les rivière A et D (jours simples) deviennent de fait des jours en V.

✻ Trois autres faces

Broderie du rectangle et réalisation de la rivière du haut

Partez du côté gauche du rectangle au point avant de la face avant et comptez 8 fils à droite. Chacun des rectangles au point avant des différentes faces est espacé de 8 fils.

Reportez-vous aux étapes de la face avant pour reproduire la rivière et le rectangle au point de plume.

Préparation du carré de jours brodés

Rivières E et F

Partez des côtés droit et gauche du rectangle brodé, comptez 8 fils vers l'intérieur.

Coupez 2 fils et rentrez les fils par un point de reprise (fig. 23).

Réalisation du carré de jours brodés

Travaillez avec le fil Broder Spécial n° 25 blanc sur l'envers de la toile.

E Réalisez des ***jours simples*** de 4 fils.

F Réalisez des ***jours en V*** de 4 fils.

Réalisation des points de broderie au point avant et point avant rebrodé

Travaillez sur l'endroit de la toile.

1 Partez du carré ajouré, comptez 8 fils vers l'intérieur. Réalisez un rectangle au point avant avec 2 brins de Mouliné gris.

2 Partez du rectangle n° 1, comptez 8 fils vers l'intérieur. Réalisez un rectangle au point avant avec 2 brins de Mouliné gris. Surjetez-le avec le Coton perlé n° 8 blanc.

3 Partez du rectangle n° 2, comptez 8 fils vers l'intérieur. Réalisez un rectangle au point avant avec 2 brins de Mouliné gris (fig. 24).

Réalisez les deux autres face sur le même modèle.

Chaque face mesure 11 cm de large, et chaque rectangle brodé est espacé de 8 fils.

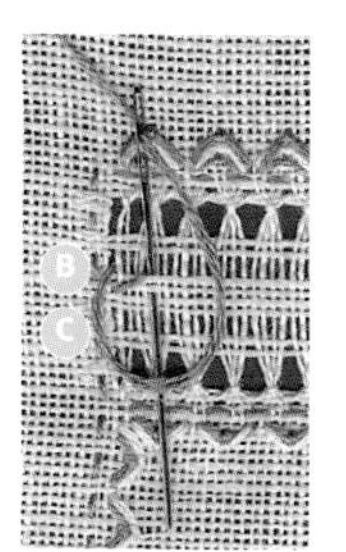

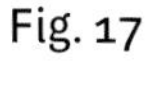

Fig. 17

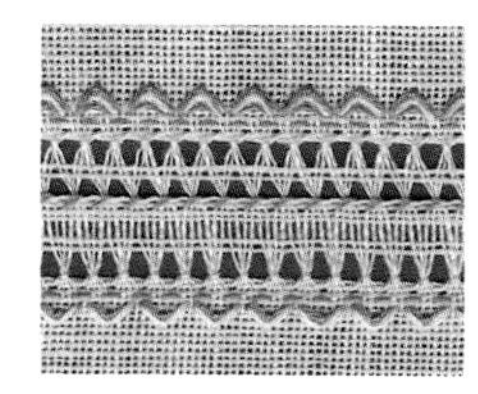

Fig. 18

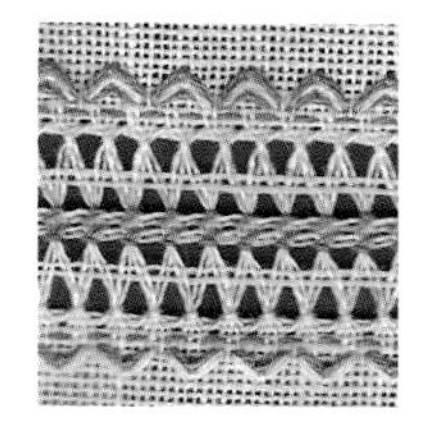

Fig. 19

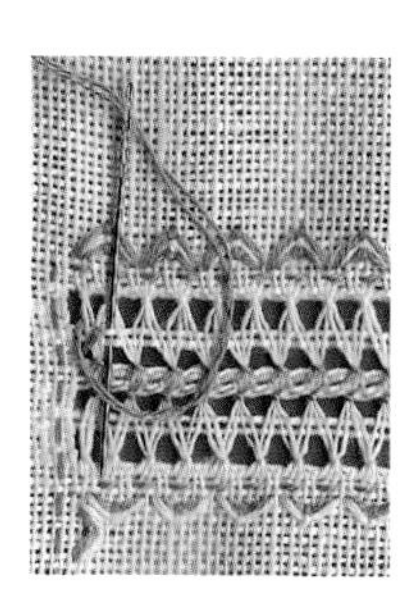

Fig. 20

Fig. 21

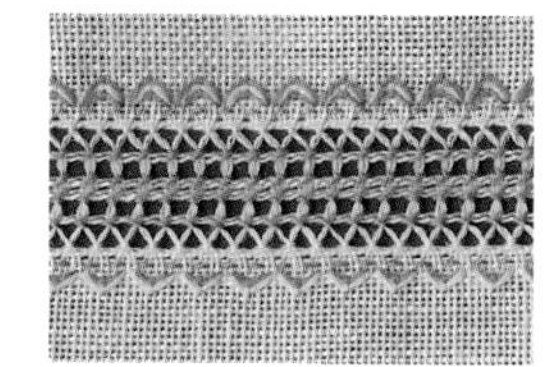

Fig. 22

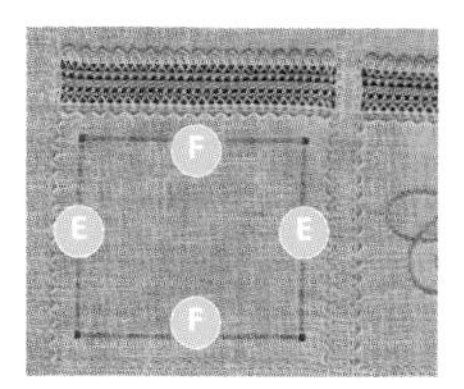

Fig. 23

Fig. 24

Réalisation du petit modèle «& »

✻ Face avant (voir fig. 2)

Broderie de la première ligne au point de plume

Surfilez la toile.

Disposez le grand côté de la toile face à vous. Partez du petit côté droit et comptez 9,5 cm à droite et 3 cm du grand côté du haut (voir fig. 25).

Travaillez avec 2 brins de Mouliné sur l'endroit de la toile.

Réalisez 11 points de plume : faites une première rangée en gris de 2 fils en hauteur sur 6 fils en largeur, puis une deuxième rangée en blanc de 3 fils en hauteur audessus de la précédente et enfin une troisième rangée en gris de 4 fils en hauteur au-dessus de la précédente (voir fig. 26).

Préparation de la rivière

Reportez-vous aux indications données pour le grand modèle.

Broderie du carré

Point de plume

Travaillez avec 2 brins de Mouliné sur l'endroit de la toile.

Partez 4 fils sous la rivière. Réalisez un carré au point de plume de 11 points x 11 points : faites une première rangée en gris de 2 fils en hauteur sur 6 fils en largeur, puis une deuxième rangée en blanc de 3 fils en hauteur au-dessus de la précédente. Attention : commencez la rangée P exactement à l'opposé de la P' (voir fig. 26).

Point avant

Reportez-vous aux explications données pour le grand modèle.

Broderie du mot « & »

À l'aide du feutre effaçable à l'eau, reportez le signe « & », reproduit page 92.

Travaillez avec 2 brins de Mouliné gris sur l'endroit de la toile. Brodez-le au point de chaînette. Surjetez ce dernier avec le Coton Perlé blanc n° 8.

Réalisation de la rivière

Reportez-vous aux explications données pour le grand modèle.

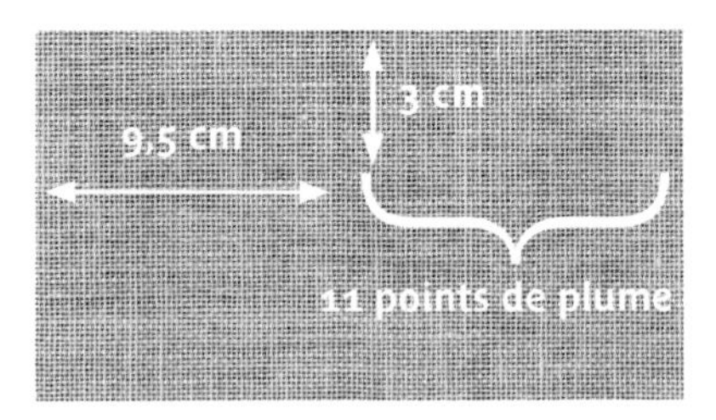

Fig. 25

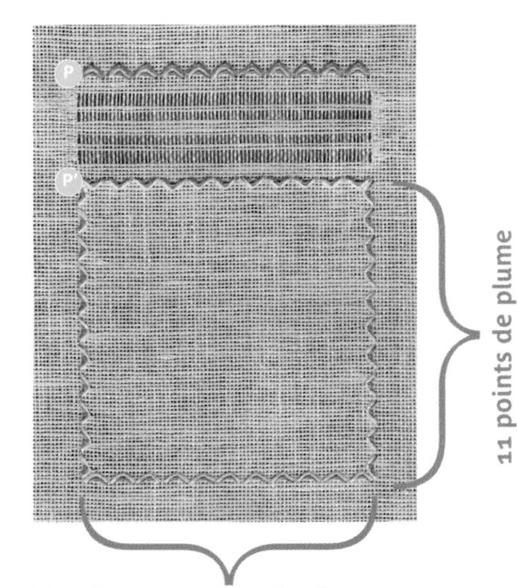

Fig. 26 11 points de plume

Fig. 27

❋ **Trois autres faces**

Broderie du rectangle et réalisation de la rivière du haut

Reportez-vous aux explications données pour le grand modèle.

Préparation du carré de jours brodés

Reportez-vous aux explications données pour le grand modèle.

Réalisation du carré de jours brodés

Travaillez avec le fil Broder Spécial n° 25 blanc sur l'envers de la toile.
Réalisez des jours simples de 2 fils, sur l'extérieur des 2 rivières.

Réalisation des points de broderie au point avant et point avant rebrodé

Travaillez sur l'endroit de la toile.
1 Partez du carré ajouré, comptez 6 fils vers l'intérieur. Réalisez un rectangle au point avant avec 2 brins de Mouliné gris.
2 Partez du rectangle n° 1, comptez 6 fils vers l'intérieur. Réalisez un rectangle au point avant avec 2 brins de Mouliné gris. Surjetez-le avec le Coton perlé n° 8 blanc.
3 Partez du rectangle n° 2, comptez 6 fils vers l'intérieur. Réalisez un rectangle au point avant avec 2 brins de Mouliné gris (voir fig. 28).

Réalisez les deux autres faces sur le même modèle.
Chaque face mesure 7,5 cm de large, et chaque rectangle brodé est espacé de 8 fils.

Réalisation du modèle moyen « Cie »

❋ **Face avant (voir fig. 3)**

Broderie de la première ligne au point de plume

Surfilez la toile.
Disposez le grand côté de la toile face à vous. Partez du petit côté droit et comptez 11,5 cm à droite et 3 cm du grand côté du haut (voir fig. 29).
Travaillez avec 2 brins de Mouliné sur l'endroit de la toile.
Réalisez 14 points de plume : faites une première rangée en gris de 2 fils en hauteur sur 6 fils en largeur, puis une deuxième rangée en blanc de 3 fils en hauteur au-dessus de la précédente et enfin une troisième rangée en gris de 4 fils en hauteur au-dessus de la précédente (voir fig. 30).

Fig. 28

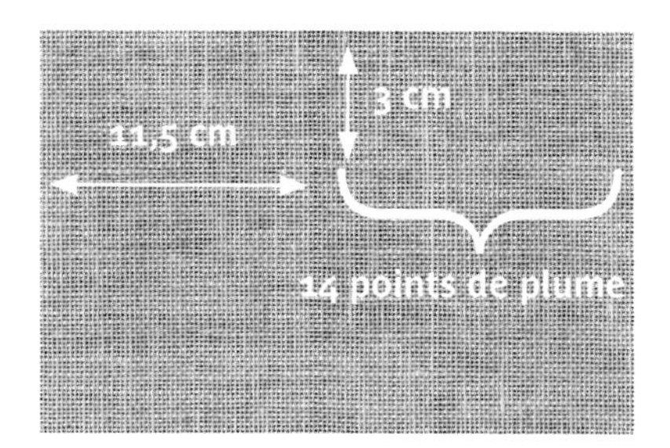

Fig. 29

Préparation de la rivière

Reportez-vous aux indications données pour le grand modèle.

Broderie du rectangle

Point de plume

Travaillez avec 2 brins de Mouliné sur l'endroit de la toile.

Partez 4 fils sous la rivière. Réalisez un rectangle au point de plume de 14 points (largeur) x 13 points (hauteur) : faites une première rangée en gris de 2 fils en hauteur sur 6 fils en largeur, puis une deuxième rangée en blanc de 3 fils en hauteur au-dessus de la précédente. Attention : commencez la rangée P exactement à l'opposée de la P' (voir fig. 30).

Point avant

Reportez-vous aux explications données pour le grand modèle.

Broderie du mot « Cie »

À l'aide du feutre effaçable à l'eau, reportez le mot « Cie », reproduit page 92.

Travaillez avec 2 brins de Mouliné gris sur l'endroit de la toile. Brodez le « C » au point de chaînette. Surjetez ce dernier avec le Coton Perlé blanc n° 12.

Brodez « ie » au point de tige, avec 2 brins de Mouliné gris ; et le point au point de nœud avec 2 brins de gris (voir fig. 31).

Réalisation de la rivière

Reportez-vous aux explications données pour le grand modèle.

✻ Trois autres faces

Broderie du rectangle et réalisation de la rivière du haut

Reportez-vous aux explications données pour le grand modèle.

Préparation du carré de jours brodés

Reportez-vous aux explications données pour le grand modèle.

Réalisation du carré de jours brodés

Travaillez avec le fil Broder Spécial n° 25 blanc sur l'envers de la toile.

E Réalisez des ***jours simples*** de 3 fils.

F Réalisez des ***jours échelles*** de 3 fils (voir fig. 23).

Fig. 30

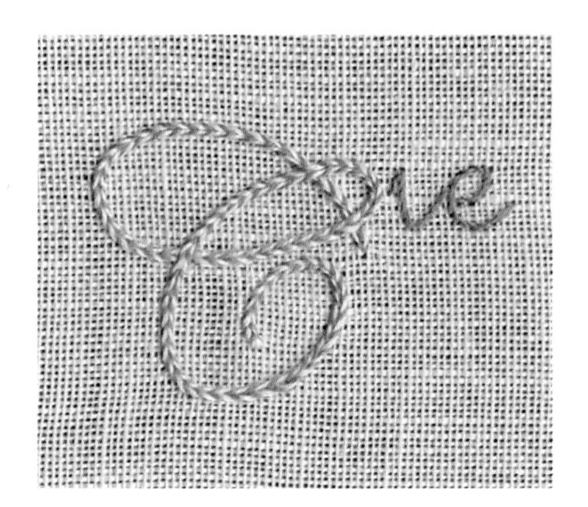

Fig. 31

Réalisation des points de broderie

Travaillez sur l'endroit de la toile.

Point avant et point avant rebrodé

1 Partez du carré ajouré, comptez 8 fils vers l'intérieur. Réalisez un rectangle au point avant avec 2 brins de Mouliné gris.

2 Partez du rectangle n° 1, comptez 8 fils vers l'intérieur. Réalisez un rectangle au point avant avec 2 brins de Mouliné gris. Surjetez-le avec le Coton perlé n° 8 blanc.

3 Partez du rectangle n° 2, comptez 8 fils vers l'intérieur. Réalisez un rectangle au point avant avec 2 brins de Mouliné gris (voir fig. 32).

Réalisez les deux autres faces sur le même modèle.

Chaque face mesure 7,5 cm de large, et chaque rectangle brodé est espacé de 8 fils.

Montage

Piquez le premier galon gris à pois blanc en bas du rectangle brodé, à 2 fils de la ligne de point avant. Piquez le second ruban en haut du rectangle brodé, à 4 fils de la ligne de point de plume.

Rabattez vers l'intérieur le ruban du haut pour qu'il ne mesure plus que 5 mm et marquez-le au fer (voir fig. 33).

Piquez ensuite le croquet, sur l'envers de la toile, de telle manière que seule la moitié soit visible.

Faites un rentré sur le bord de la toile pour qu'elle ne dépasse pas sur la rivière brodée du haut. Et marquez-le au fer.

Marquez ensuite au fer les 4 côtés de l'étui, en prenant pour repère le milieu de l'espace laissé vierge entre les rectangles brodés. Piquez envers contre envers les petits côtés du rectangle brodé, à 4 fils de la ligne de points avant afin d'obtenir le même espace que pour les autres angles de l'étui.

Recoupez les rentrés pour qu'ils ne dépassent pas de la rivière du haut et surfilez-les. Assemblez le fond de l'étui et piquez-le envers contre envers sur l'étui.

À l'intérieur de l'étui, collez le galon blanc à pois gris pour maintenir le rentré de la toile.

Positionnez chaque tissu gris sur le plastique transparent correspondant. Sur celui du fond (carré), coupez les coins en diagonale sur 1 cm et pliez-le tout autour. Pliez un des petits côtés du rectangle sur 1 cm et pliez chaque face pour obtenir un étui. Assemblez le fond et l'étui en plaçant les rentrés sur l'extérieur afin qu'on ne les voit pas de l'intérieur. Collez-les ensemble.

Placez le plastique recouvert de tissu dans l'étui.

Fig. 32

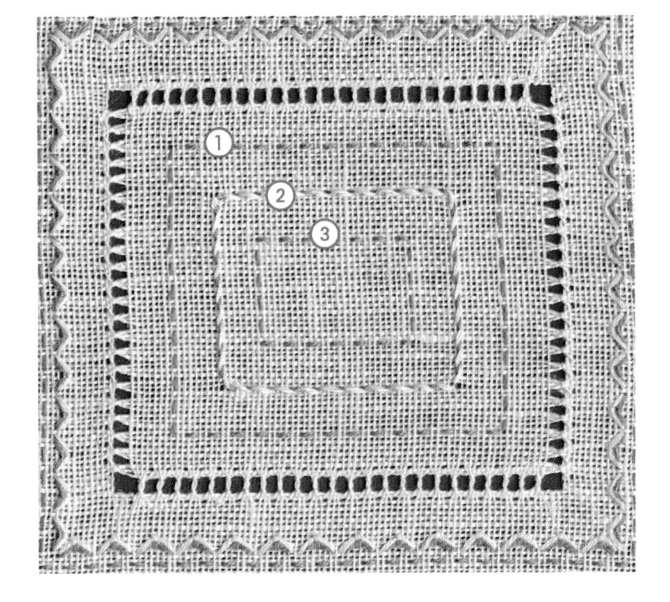

Fig. 33

Time

Tea
Time

Tea time

Matériel

- 35 x 30 cm de toile de lin à broder bis, 12 fils/cm
- 2 fois 5 x 5 cm de toile de lin à broder bis, 12 fils/cm (bouton)
- 1 échevette Mouliné Spécial 25 DMC Art.117 : rouge 815, rouge clair 498, noir 310, bleu clair 775, blanc
- 1 échevette de fils ATALIE : vert Fougère, vert Ortie, bleu Ancolie, bleu Chardon, marron Écorce
- 1 échevette de fils ThreadWork (TW) : mauve 1157,
- 35 x 30 cm de toile rayée
- 2 fois 35 x 30 cm de tissu de doublure
- 2 fois 35 x 30 cm de tissu de molleton
- Ouate de rembourrage

Techniques utilisées

Jours : jours en V, jours croisés, jours échelles
Points de broderie : point de poste, point de nœud, point de croix, point de tige, point d'araignée, point fantaisie, point de bouclette

Dimensions

Broderie : 24 x 15,5 cm (en 12 fils/cm)
Cache-théière : 31 x 23 cm

Fig. 1

Broderie

Travaillez sur l'endroit de la toile avec 2 brins de Mouliné sauf pour les coccinelles brodées en 1 brin.

Préparation

Surfilez la toile.
Pliez en deux la toile dans le sens de la largeur et bâtissez la ligne obtenue.
Dépliez la toile et reportez dessus le dessin reproduit page 94, en centrant le repère sur la ligne de bâti.
Reportez le gabarit en pointillé reproduit page 95, en centrant le repère sur la ligne de bâti. Reportez par symétrie la partie droite.

Broderie des fleurs (voir fig. 1)

Fleurs n° 1 (F1)
Réalisez le cœur de la fleur avec 1 point de nœud, en faisant 3 tours de rouge 815 sur l'aiguille. Réalisez les pétales en faisant un premier point de bouclette puis un second autour de l'autre en blanc. La pointe du second point ressort là où se termine la première.

Fleurs n° 2 (F2)
Réalisez le cœur de la fleur avec 3 points de nœud, en faisant 2 tours de rouge 815 sur l'aiguille. Réalisez les pétales en faisant un premier point de bouclette puis un second autour de l'autre en blanc. La pointe du second point se brode en rouge 815 et ressort là où se termine la première.

Fleurs n° 3 (F3)
Réalisez le cœur de la fleur avec 1 point d'araignée en rouge 815.
Réalisez les pétales en faisant :
– Sur les diagonales un premier point de bouclette en blanc puis un second autour de l'autre en rouge 815. La pointe du second point ressort là où se termine la première.
– Sur les médianes un premier point de bouclette puis un second autour de l'autre en blanc. La pointe du second point se brode en rouge 815 et ressort là où se termine la première.

Fleurs n° 4 (F4)
Réalisez le cœur de la fleur au point d'araignée en rouge 815.
Réalisez les pétales en faisant 4 points avant rouge 815 au centre puis faites un premier point de bouclette puis un second autour de l'autre en blanc. La pointe du second point se brode en rouge 815 et ressort là où se termine la première.

Broderie des feuilles

Réalisez un premier point de poste en enroulant le fil Atalie vert Ortie 10 fois autour de l'aiguille. Réalisez un second point de poste en enroulant le fil 12 fois autour de l'aiguille. Terminez ce second point en piquant juste au-dessus et dans la diagonale du premier point.

Fleur n° 1

Fleur n° 2

Fleur n° 3

Fleur n° 4

Feuilles

✻ Broderie des coccinelles

Suivez les diagrammes ci-dessous : brodez au point de croix en 1 brin sur 1 fil le corps en rouge clair 498 ; brodez les antennes et les ailes au point lancé avec un brin de Mouliné noir 310 ; et les pois au point de nœud en noir 310 (voir fig. 2 et 3).

✻ Broderie du papillon

Reportez-vous au dessin ci-dessous et à la fig. 4 pour la répartition des couleurs.
Brodez le papillon par des lignes au point de tige les unes à côté des autres avec 2 brins de Mouliné, à l'exception de :
– La pointe des antennes, réalisée par un point de bouclette avec 2 brins de fil Atalie marron Écorce,
– La tête du papillon, réalisée par remplissage au point de croix en 1 brin sur 1 brin de fil Atalie marron Écorce,
– Les 3 petits ronds des ailes, réalisés au point d'œillet avec 2 brins de fil ThreadWork vert 1065,
– Le bas de la première volute de l'aile, réalisé au point lancé avec 2 brins de fil Atalie bleu Ancolie.

✻ Broderie de « Tea Time »

Brodez « Tea Time » au point de tige avec 2 brins de Mouliné rouge 815. Pour les parties plus « épaisses » des volutes, brodez plusieurs lignes au point de tige, les unes à côté des autres (voir fig. 5).

Fig. 2

Fig. 3

Fig. 4

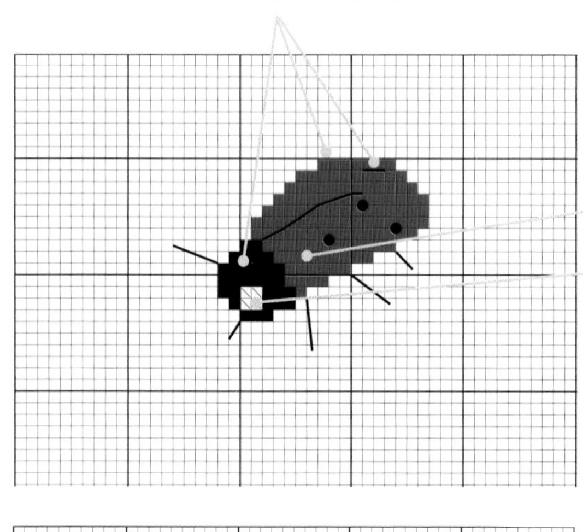

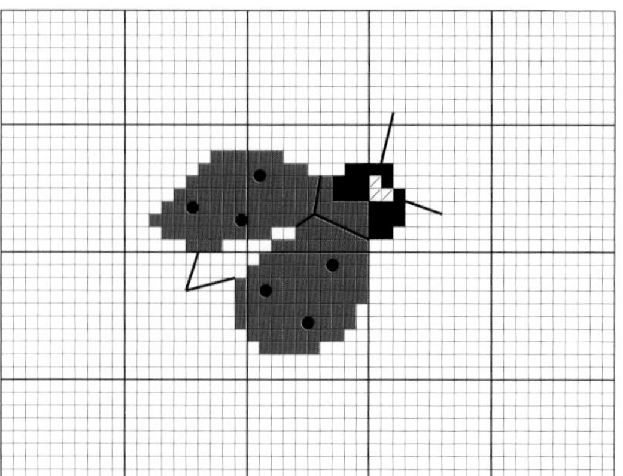

Réalisation du bouton

Reportez sur une des petites toiles le dessin reproduit page 94. Réalisez au centre une fleur n° 4 (voir plus haut) et brodez le contour au point de tige en rouge 815.
Reportez le contour sur la seconde toile et brodez-le au point de tige en rouge 815.
Rabattez les bords des deux toiles au ras du point de tige et marquez au fer. Assemblez les deux bords, endroit contre endroit au point de surjetage en rouge 815. Aux trois quarts du montage, insérez de la ouate de rembourrage puis fermez l'ouverture.

Réalisation des jours

Préparation de la toile

Partez sous les 3 fleurs sur la tige où se pose la coccinelle de droite. Comptez 12 fils vers le bas puis coupez et rentrez les fils par un point de reprise en suivant cet ordre (voir fig. 6) :

A Coupez 3 fils. Gardez 4 fils.
B Coupez 10 fils. Gardez 4 fils.
C Coupez 4 fils.

Réalisation des jours (fig. 7)

Travaillez avec 2 brins de fil sur l'endroit de la toile.

A Réalisez des ***jours échelles*** de 4 fils avec le Mouliné blanc.
B Réalisez des ***jours croisés*** de 4 fils avec le fil ThreadWork mauve vert 1157.
C Réalisez des ***jours en V*** de 8 fils avec le fil ThreadWork mauve vert 1157.

Le point fantaisie (fig. 8 à 11)

Travaillez avec 2 brins de fil Atalie vert Fougère sur l'endroit de la toile de gauche à droite.
Passez un faisceau et sortez à droite du faisceau suivant en 1. Piquez en 2, c'est-à-dire à gauche du faisceau précédent. Continuez ainsi sur toute la longueur.

Prenez une nouvelle aiguillée de fil Atalie vert Fougère. Sortez en 3, c'est-à-dire à gauche du point 1. Allez de l'avant et piquez en 4, 5 fils au-dessus du point 2. Continuez ainsi sur toute la longueur.

Montage

Pliez en deux la toile rayée dans le sens de la largeur et bâtissez la ligne obtenue.
Dépliez la toile et reportez le gabarit reproduit page 95, en centrant le milieu sur la ligne de bâti. Reportez par symétrie la partie droite.
Répétez la même opération en reportant le gabarit en pointillés sur les tissus de doublure et de molleton.

Assemblez envers contre envers la toile brodée et la toile rayée. Posez un molleton sur la toile rayée et le second sur la toile brodée. Recouvrez chaque molleton d'un tissu de doublure. Piquez l'ensemble le long du tracé, en laissant libre le bas.

Faites un rentré le long du tracé du bas de la toile brodée et recoupez-le à 5 mm du tracé pour qu'il n'apparaisse pas à travers les jours brodés. Piquez-le avec du fil invisible à 2 mm du bord. Faites de même pour la doublure au verso de la partie brodée.
Faites un rentré le long du tracé du bas de la toile rayée et faites un ourlet. Faites de même avec la doublure et piquez-les ensemble avec du fil invisible à 2 mm du bord. Retournez l'ouvrage sur l'endroit.
Cousez le bouton en haut du cache-théière et brodez deux petites feuilles à sa base.

Fig. 5

Fig. 6

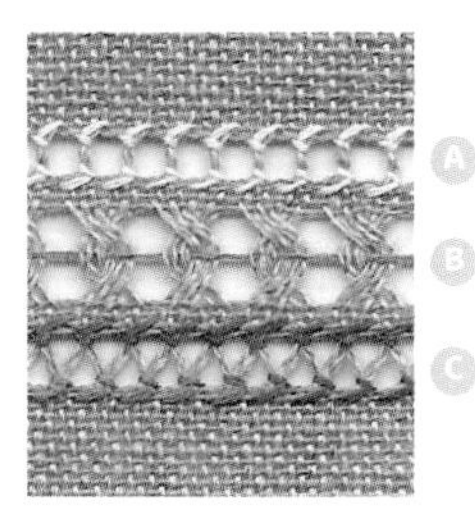

Fig. 7

Fig. 8

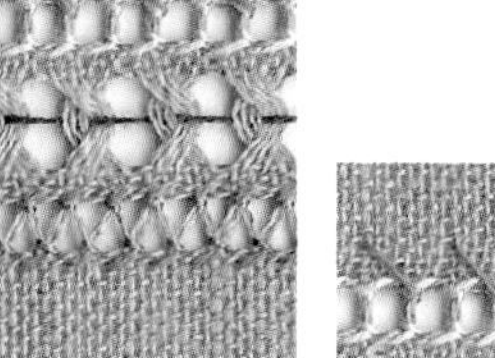
Fig. 9

Fig. 10

Fig. 11

Gabarit de l'initiale d'Exercices de jours et de points (pages 8-17) : à reproduire à 111 %

Gabarit de l'initiale du Porte-aiguilles (pages 20-23) : à reproduire à 100 %

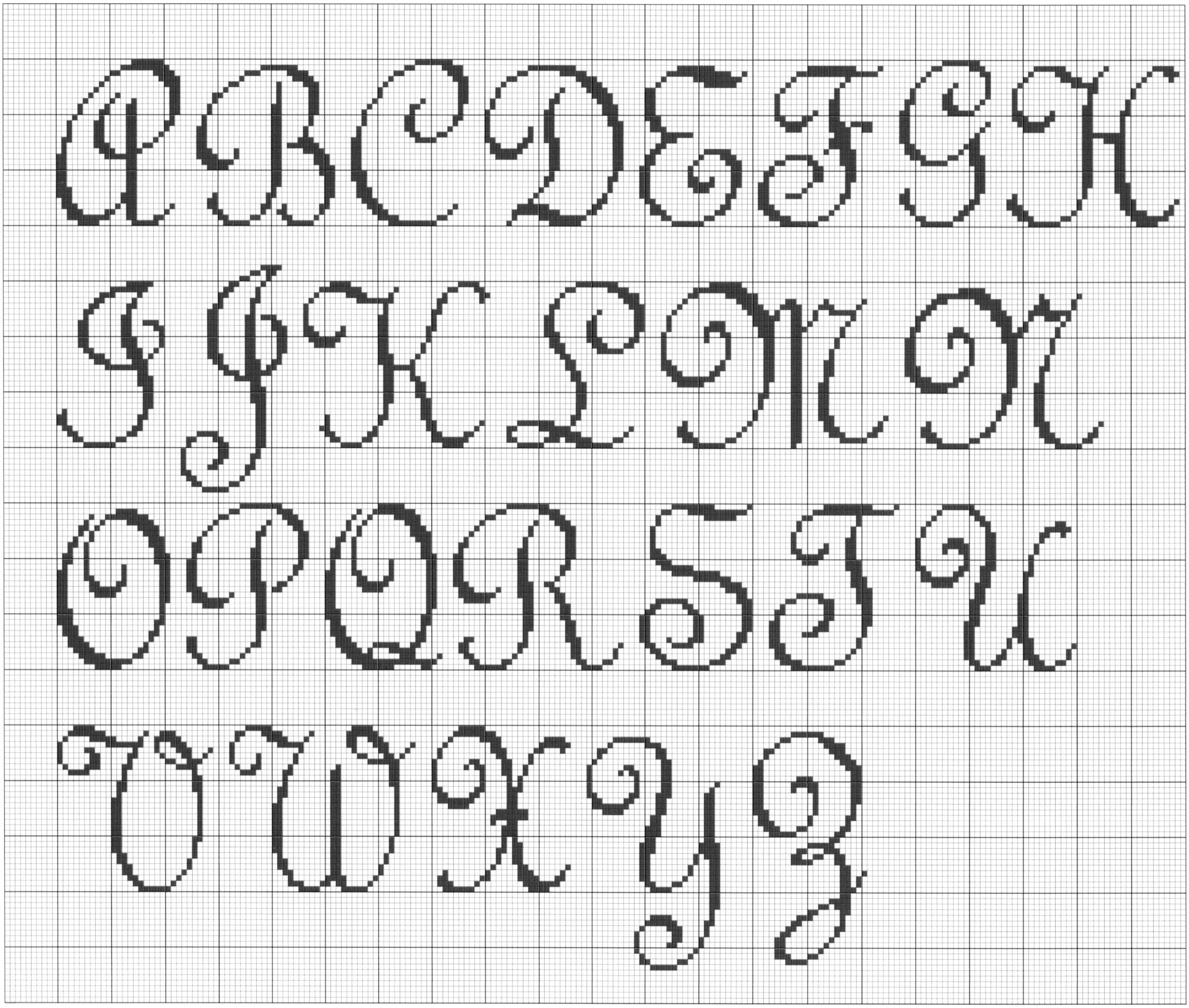

Diagramme de Comme un mouchoir (pages 20-23)

Jours et points mêlés

PARTIE TECHNIQUE

Sabine Cottin

Illustrations : Iwona Seris

MANGO PRATIQUE

Matériel et techniques

La toile

Le choix de la toile pour l'exécution de la broderie des jours à fils tirés, aussi appelés jours sur toile, est très important. Cette technique de broderie nécessite que les fils de trame et les fils de chaîne soient de grosseur égale afin d'avoir des ajourés de forme régulière.
Pour débuter dans cette technique, une toile de lin 12 fils/cm est conseillée. Celles qui ont une dextérité plus grande pourront choisir une toile de lin de 14, voire 16 fils/cm.

Pour éviter que les bords de la toile ne s'effilochent, faites un surfilage à la main ou à la machine au point zigzag.

Les fils

En fonction de la toile choisie, la grosseur des fils à broder varie. Pour une toile de lin 12 fils/cm, on utilisera du fil DMC « Broder spécial » n° 25. Son intérêt est d'être relativement solide et d'offrir une gamme de couleurs aussi large que le Mouliné à broder. Pour des toiles de lin plus fines, on choisira le même fil, mais en n° 30, voire n° 35.
On pourra également utiliser du fil à dentelle, du cordonnet spécial, du mouliné. Tout dépend de l'aspect final recherché.

Caractéristiques des fils DMC :
Mouliné spécial Art. 117 : 6 brins facilement séparables.
Broder spécial Art. 107 : 2 brins non séparables.
Coton perlé : fil torsadé avec des reflets perlés.

Les aiguilles

Les aiguilles utilisées pour la technique des jours sur toile sont des aiguilles à tapisserie à bout rond. Pour une toile de lin 12 fils/cm, je vous conseille une aiguille n° 18 pour détisser les fils de lin coupés, une aiguille n° 24 pour le retissage de ces derniers dans la toile et une aiguille n° 26 ou 28 pour la broderie.

La paire de ciseaux

Utilisez une paire de ciseaux de brodeuse à bouts pointus. Attention, les paires de ciseaux utilisées pour la technique de l'Hardanger sont à éviter. Trop coupantes, elles risquent de couper accidentellement des fils qui n'ont pas lieu de l'être.

Utilisation du tambour

Elle sera fonction de la qualité et de la trame de votre toile de lin. Si cette dernière a un apprêt assez important, il n'est pas utile d'utiliser un tambour. Dans ce cas, les jours sont réalisés « sur le pouce ».
Par contre, une toile moins apprêtée demandera l'utilisation de ce dernier afin de vous faciliter le travail.

Report des motifs de broderie

Les motifs de broderie se transfèrent sur la toile de différentes façons :

• Le transfert à chaud

Prenez un stylo transfert et tracez sur du papier calque les motifs. Retournez votre calque, et repassez sur les motifs avec un stylo ordinaire. Épinglez la toile sur une planche matelassée et mettez ce calque sur la toile en veillant à ce que le côté tracé avec le stylo transfert se retrouve sur la toile. Repassez avec un fer sans faire glisser ce dernier. Soulevez délicatement le papier calque.

• Le décalquage

Les motifs de broderie peuvent être décalqués lorsque la toile de lin n'est pas trop foncée. Dans ce cas, utilisez un stylo dont l'encre s'efface à l'eau. Positionnez le motif à décalquer sur une vitre. Au besoin, scotchez-le. Positionnez, à son tour, la toile de lin sur les motifs voulus et décalquez par transparence.

• Le papier carbone

La couleur de ce papier se choisit en fonction de la couleur de la toile utilisée. Placez-le sur la toile. Puis, posez le motif à transférer sur ce dernier. À l'aide d'un crayon pointu, repassez sur les contours des motifs. Afin de vous assurer un joli travail, maintenez les trois couches (toile, papier carbone et dessin) avec du ruban adhésif.

Suggestion : quelle que soit la méthode de transfert utilisée, je vous conseille de prendre des repères aussi bien sur la toile de lin que sur les motifs à transférer. Sur la toile de lin, réalisez un bâti horizontal et vertical. Sur le motif, dessinez les lignes médianes. Ces lignes et le bâti viendront alors se chevaucher. Cela vous assurera un transfert précis épousant correctement la trame et la chaîne de votre toile.

Choix des couleurs

De façon classique, les jours sur toile sont exécutés en une seule couleur : blanc sur blanc ou ton sur ton.
Néanmoins, l'introduction de la couleur dans la toile et/ou dans les fils confère un côté plus contemporain à cette technique de broderie.

Définitions

• *Rivière :* ensemble des fils tirés (partie ajourée).

• *Faisceau :* ensemble des fils ajourés regroupés.

• *Barrette :* extrémité brodée (au point de feston, point lancé ou point de reprise) de la rivière.

• *Fil de trame :* fil positionné dans le sens de la largeur.

• *Fil de chaîne :* fil positionné dans le sens de la longueur.

Légende des figures et renvoi aux différentes techniques

⊕ Travaillez sur l'endroit de la toile.

⊖ Travaillez sur l'envers de la toile.

- - - → Sens du travail.

✂ Coupez les fils.

En violet (par exemple : ***jours simples***) : technique expliquée dans la partie des jours sur toile.
En rouge (par exemple : ***points de feston***) : technique expliquée dans la partie des points de broderie.

✻ Préparation de la toile

Le début du travail consiste à définir l'emplacement des rivières et à les préparer.

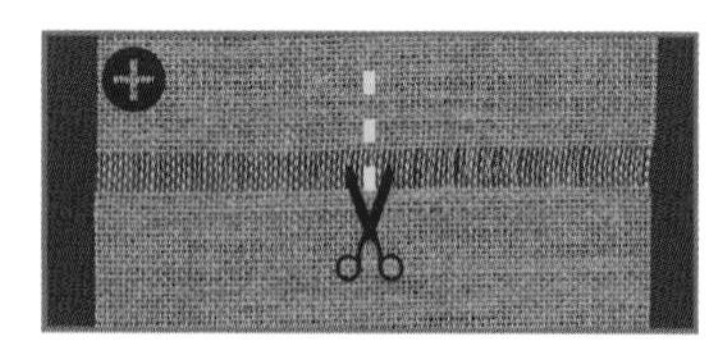

Jours sans point d'arrêt

Cette technique se travaille sur l'endroit de la toile. Pour les jours partant du bord de la toile, aucun point d'arrêt n'est nécessaire.

Délimitez l'emplacement de la rivière. Coupez un à un les fils nécessaires. Ôtez-les complètement de la toile en les faisant délicatement coulisser de cette dernière.

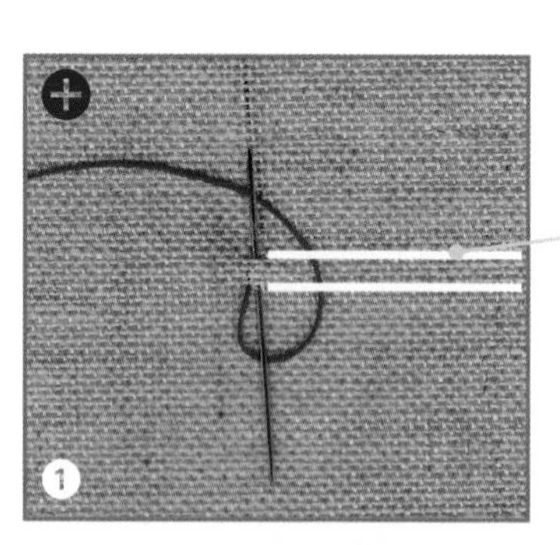

Jours avec point d'arrêt

Pour les jours commençant et finissant à quelques centimètres du bord de la toile, il est nécessaire d'arrêter de façon sûre, les fils qui vont être coupés. Plusieurs techniques sont possibles :

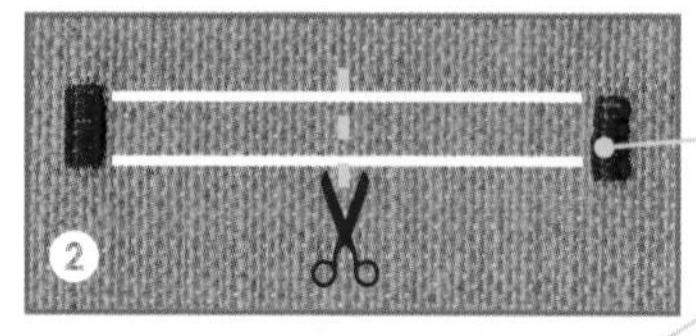

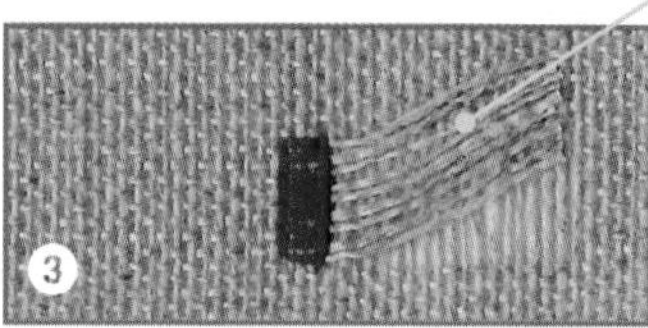

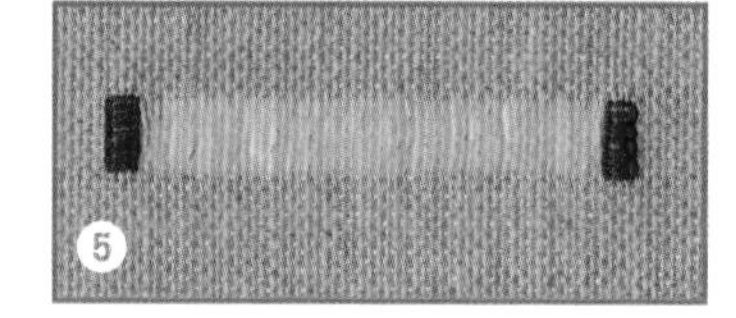

Arrêt des fils coupés par un point de feston

Cette technique se travaille sur l'endroit de la toile. Délimitez l'emplacement de la rivière. De part et d'autre de celle-ci, réalisez des *points de feston* ❶ qui délimiteront sa longueur. Réalisez 2 points de feston de plus que le nombre de fils à couper. Puis, placez-vous au milieu de la rivière et coupez un à un les fils nécessaires ❷. Détissez délicatement les fils coupés ❸ et amenez-les jusqu'à la barrette festonnée ❹. Faites-les ressortir sur l'envers de la toile et coupez-les. Faites de même pour l'autre moitié de la rivière ❺.

Arrêt des fils coupés par un point lancé

Cette technique se travaille sur l'endroit de la toile. Délimitez l'emplacement de la rivière. De part et d'autre de celle-ci, réalisez des ***points lancés*** qui délimiteront sa longueur. Réalisez 2 points lancés de plus que le nombre de fils à couper. Puis, placez-vous au milieu de la rivière et coupez un à un les fils nécessaires ❶. Détissez délicatement les fils coupés et amenez-les jusqu'à la barrette festonnée ❷. Faites-les ressortir sur l'envers de la toile et coupez-les. Faites de même pour l'autre moitié de la rivière ❸.

Suggestion :

Pour ces deux dernières techniques d'arrêt des fils, vous pouvez vous assurer que les fils coupés ne se détisseront pas à l'usure : réalisez sur l'envers de la toile une ligne au point arrière en emprisonnant les fils coupés à l'extérieur de la barrette (côté opposé à la rivière). Puis, coupez la partie dépassant des fils.

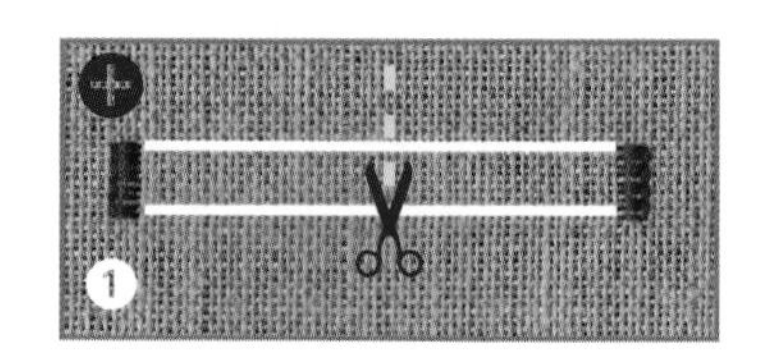

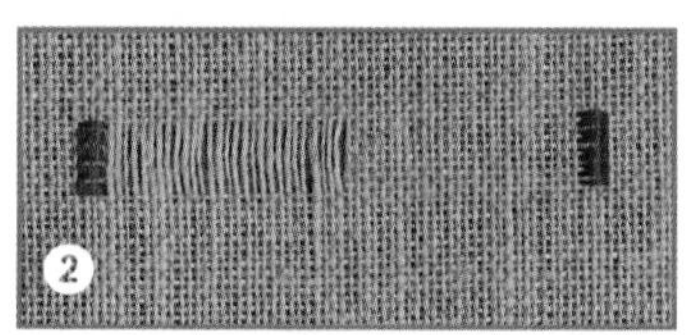

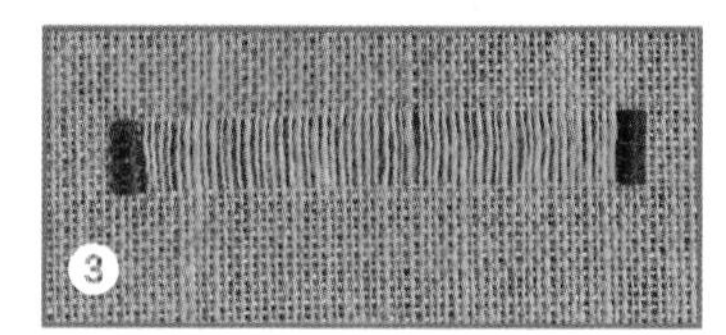

fil détissé

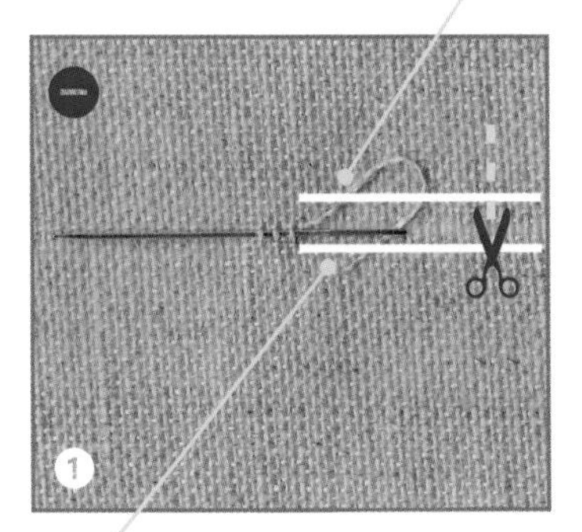

emplacement de la rivière

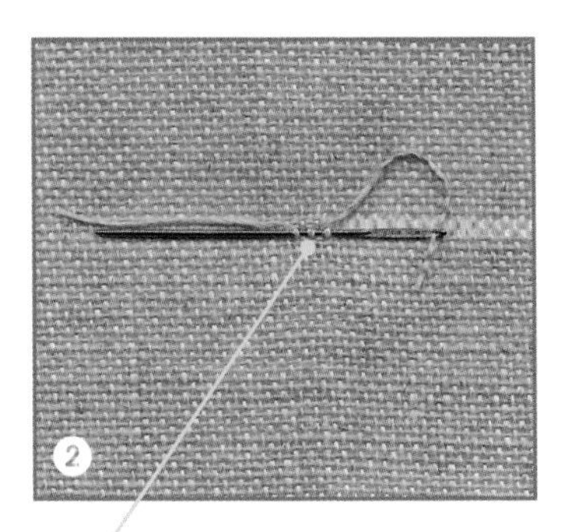

point de reprise

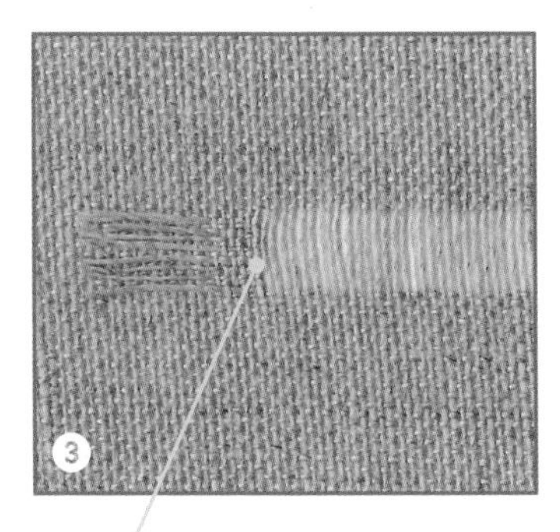

extrémité de la rivière

Arrêt des fils coupés par un point de reprise

Cette technique se travaille sur l'endroit de la toile. Délimitez l'emplacement de la rivière. Positionnez-vous au milieu de celle-ci et coupez un fil à la fois. À l'aide d'une aiguille, défaites le fil coupé du milieu de la rivière vers les extrémités. Rentrez le fil détissé en réalisant un point de reprise : faites passer le fil dessus, puis dessous, puis dessus... et ainsi de suite en suivant la trame de la toile ❶. Faites de même avec le second fil ❷.

Prenez soin de vérifier régulièrement le nombre de fils coupés et rentrez les fils en les positionnant les uns à côté des autres. L'endroit où les fils ont été rentrés constitue l'envers de la toile ❸. Personnellement, je préfère l'arrêt au point de reprise, plus discret dans son rendu final.

Astuce

Si vous avez coupé un ou plusieurs fils en trop, vous pouvez toujours rattraper votre toile en prenant un fil extérieur de la toile (dernier fil de la toile) et en le retissant à l'endroit où les fils ont été accidentellement coupés.

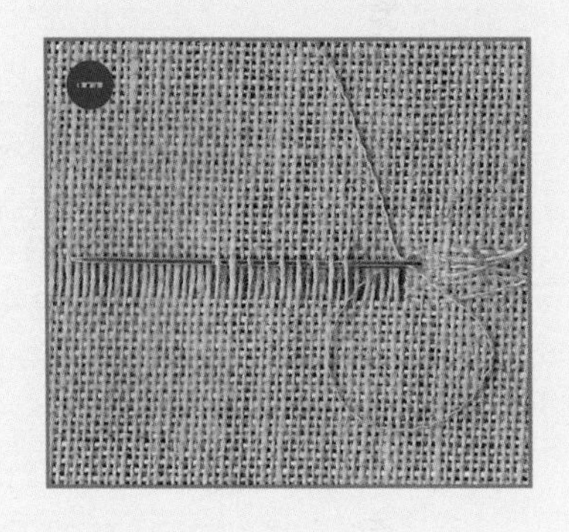

emplacement de la 2e rivière

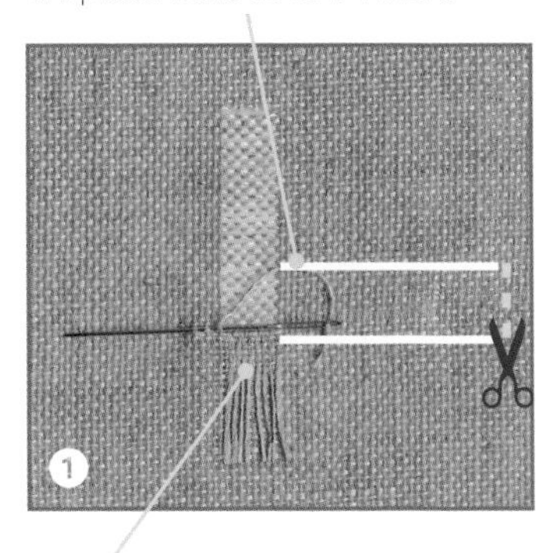

extrémité de la 1ère rivière

extrémité de la 2e rivière

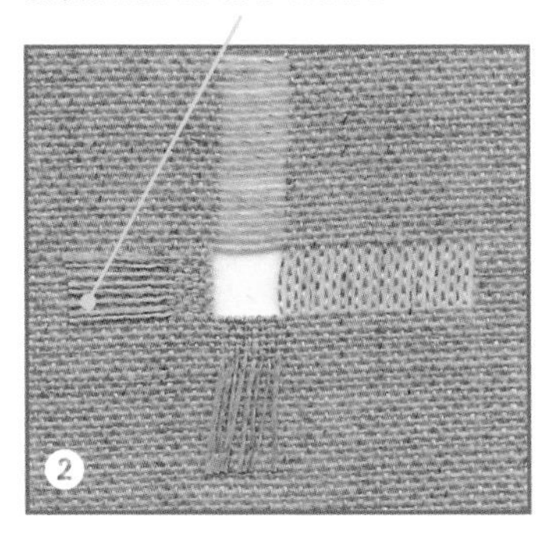

Préparation d'un angle

Une fois l'extrémité de la première rivière réalisée, tournez la toile à 90° ❶ et réalisez l'extrémité de la nouvelle rivière de la même manière. L'endroit où les fils ont été rentrés constitue l'envers de la toile ❷.

✳ Technique

Jours simples

Généralement, ils se travaillent de gauche à droite sur l'envers de la toile. Délimitez l'emplacement de la rivière et coupez le nombre de fils nécessaires. Piquez la toile, sortez l'aiguille sur l'envers de la toile, et revenez sur l'envers de la toile. Glissez-la de droite à gauche derrière le nombre de fils ajourés nécessaires ❶. Serrez les fils les uns contre les autres pour former un faisceau. Faites passer l'aiguille de haut en bas : passez-la sur l'envers de la toile A et ressortez en B en prenant 2 fils de la toile ❷, le fil de l'aiguillée passant au-dessus de l'aiguille ❸. Continuez ainsi ❹ et ❺. Terminez en rentrant le fil de l'aiguillée sous les points déjà réalisés et faites de même pour le fil de départ laissé en attente ❻ et ❼.

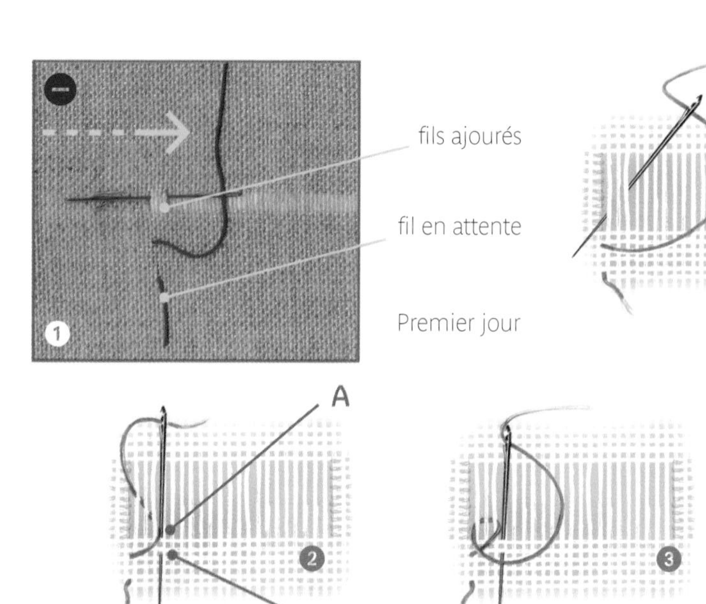

Jours suivants

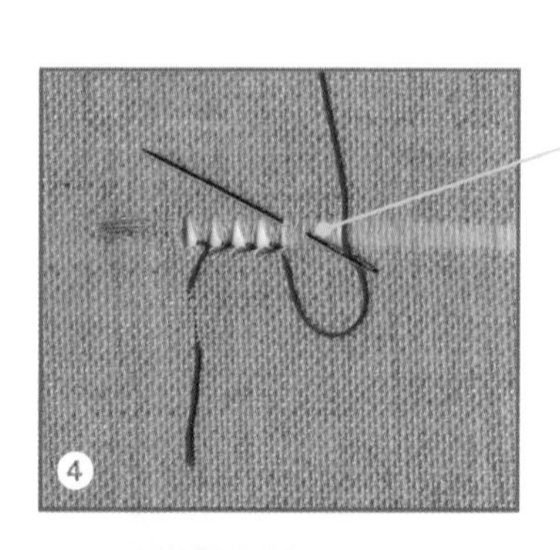

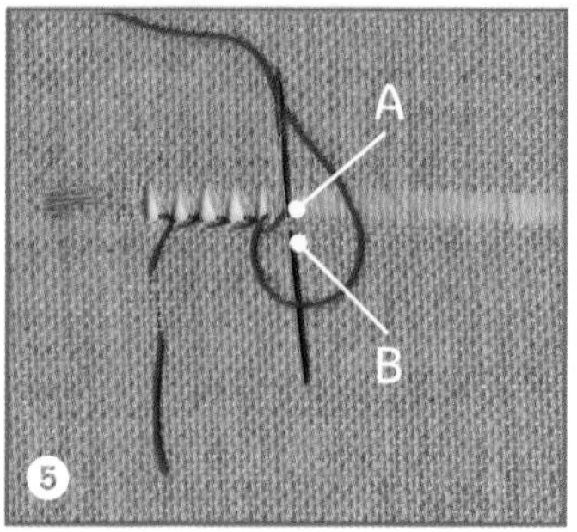

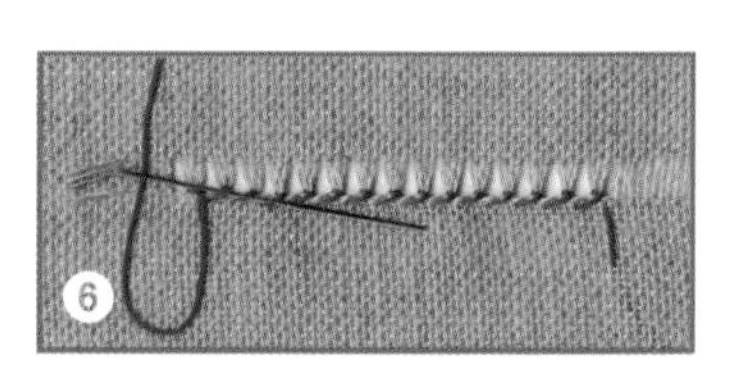

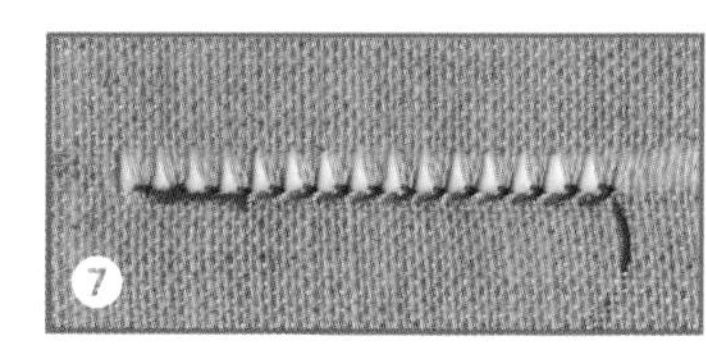

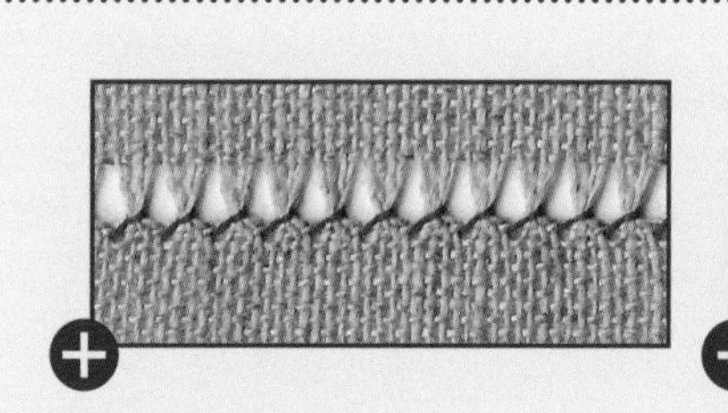

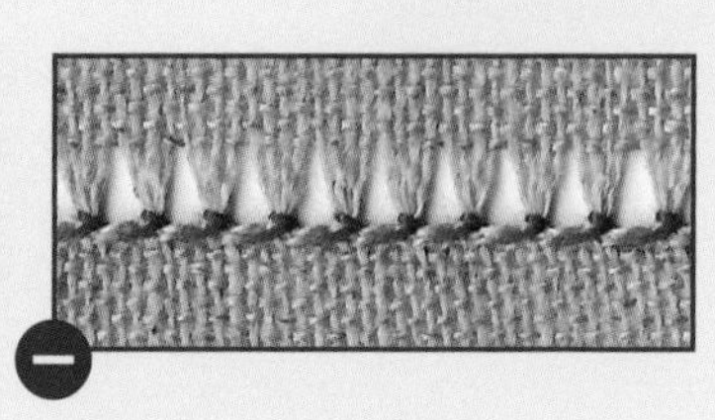

Jours échelles

Généralement, ils se travaillent de gauche à droite sur l'envers de la toile. Délimitez l'emplacement de la rivière et coupez le nombre de fils nécessaires. Rentrez les fils coupés et réalisez des *jours simples*.
Tournez le travail à 180° et réalisez, sur ce côté, une nouvelle ligne de jours simples de la même façon que les précédents. Continuez ainsi.
Terminez en rentrant le fil de l'aiguillée sous les points déjà réalisés et faites de même pour le fil de départ.

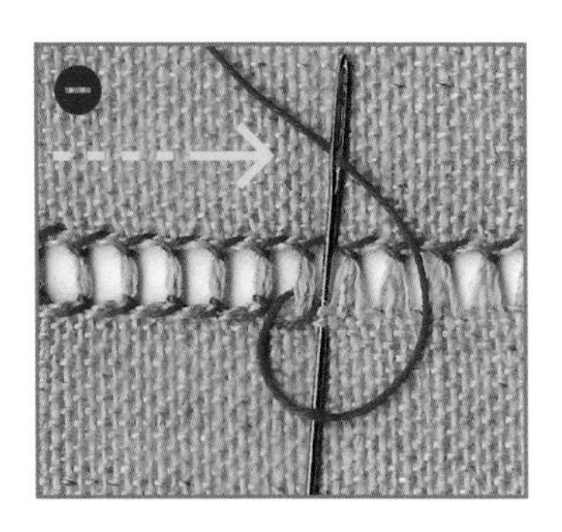

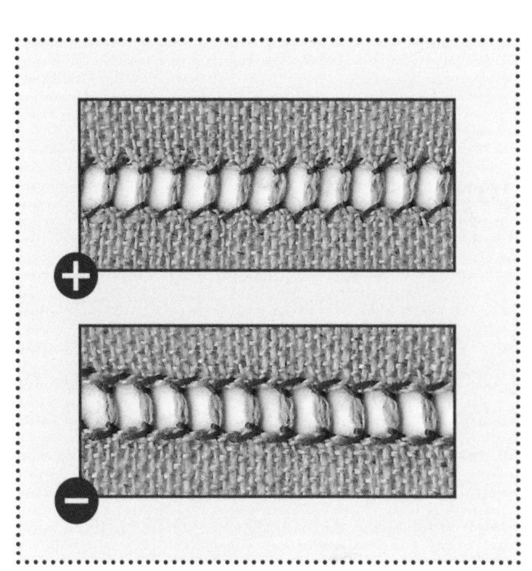

Jours en V (ou rivière serpentine)

Généralement, ils se travaillent de gauche à droite sur l'envers de la toile.
Délimitez l'emplacement de la rivière et coupez le nombre de fils nécessaires. Rentrez les fils coupés et réalisez des *jours simples* de 4 fils.
Tournez le travail à 180°. Commencez par faire un jour simple de 2 fils ❶. Puis réalisez des jours simples de 4 fils ❷ : cela revient à prendre 2 fils du faisceau précédent et 2 fils du faisceau suivant. Continuez ainsi en finissant par un jour simple de 2 fils.
Terminez en rentrant le fil de l'aiguillée sous les points déjà réalisés et faites de même pour le fil de départ.

premier faisceau : jour simple de 2 fils

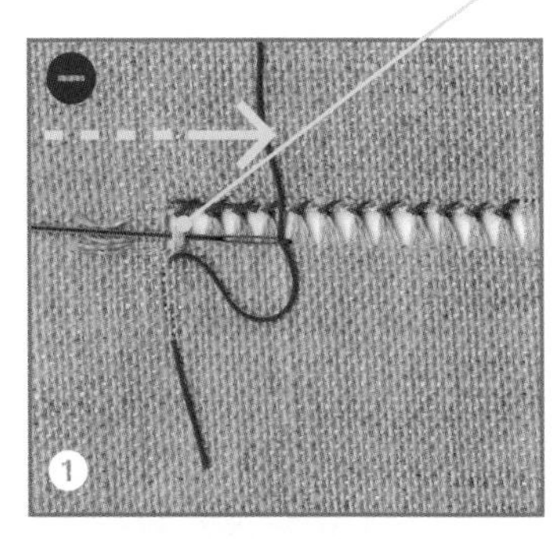

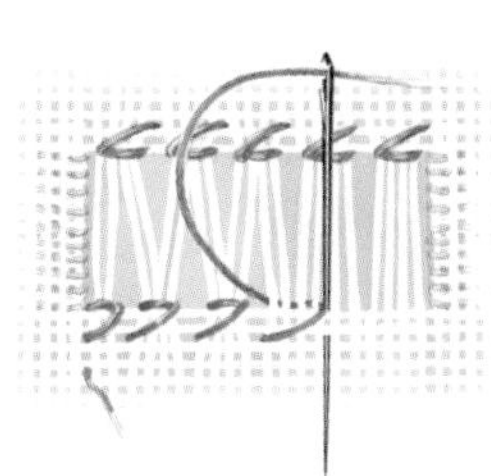

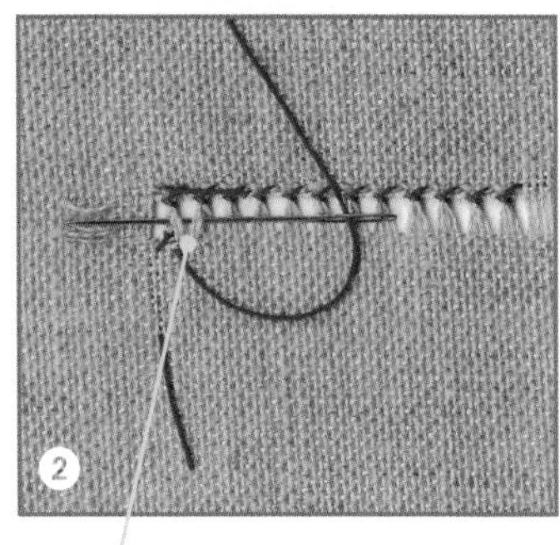

faisceau suivant : jour simple de 4 fils

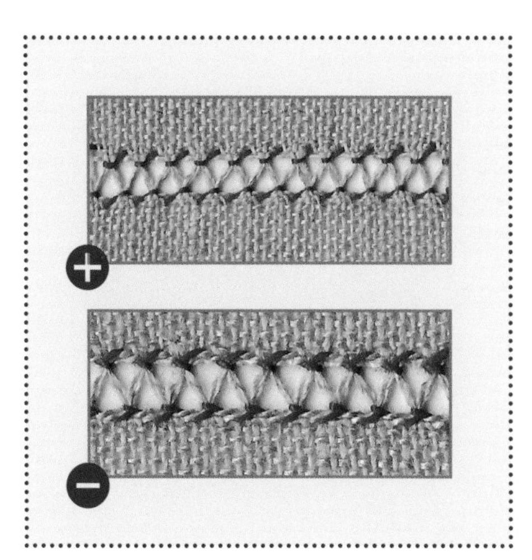

Jours échelles à fils croisés

Travaillez de gauche à droite sur l'envers de la toile. Délimitez l'emplacement de la rivière et coupez le nombre de fils nécessaires. Rentrez les fils coupés et réalisez des *jours échelles* de 2 ou 3 fils. Travaillez désormais de droite à gauche, toujours sur l'envers de la toile. Prenez une aiguillée et fixez-la solidement au milieu de l'extrémité droite de la rivière. Passez l'aiguille sur le faisceau n° 1 et glissez l'aiguille sous le faisceau n° 2 en la faisant ressortir sur le faisceau n° 1 ❶. Effectuez un mouvement de rotation avec l'aiguille afin que cette dernière passe sous le faisceau n° 1 et ressorte entre le faisceau n° 2 et le faisceau n° 3 ❷ : cela revient à croiser le faisceau de gauche sur celui de droite. Continuez ainsi.

Terminez en fixant le fil de l'aiguillée solidement au milieu de l'extrémité gauche de la rivière.

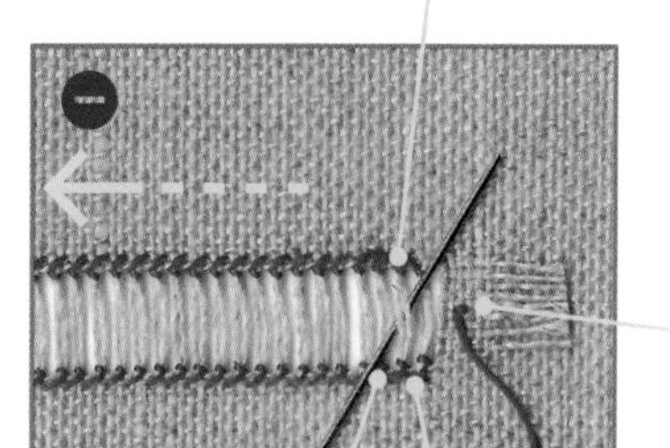

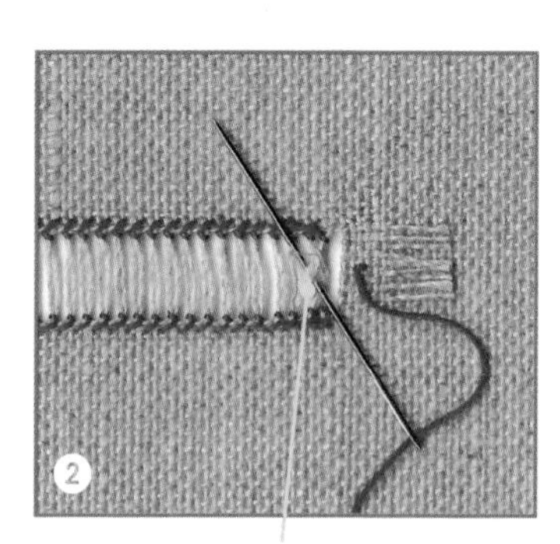

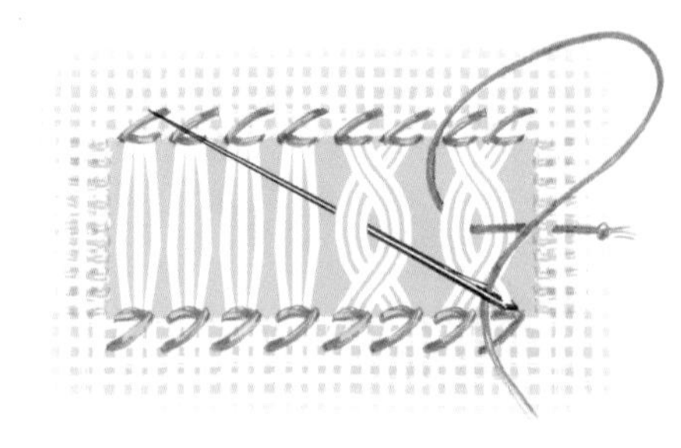

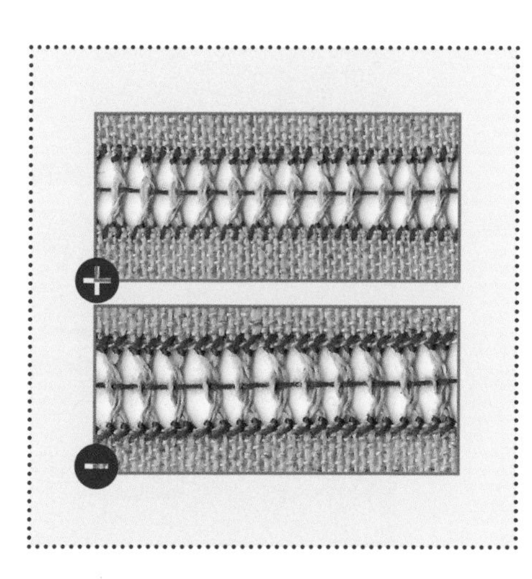

Jours contrariés deux fois croisés

Travaillez de gauche à droite sur l'envers de la toile. Délimitez l'emplacement de la rivière et coupez le nombre de fils nécessaires. Rentrez les fils coupés et réalisez des ***jours échelles*** avec des faisceaux de 2 fils.

Travaillez désormais de droite à gauche, toujours sur l'envers de la toile. Prenez une aiguillée et fixez-la solidement au milieu de l'extrémité droite de la rivière. Passez l'aiguille sous le faisceau n° 3 et sur les faisceaux n° 2 et n° 1 ❶. Croisez le faisceau n° 3 avec le faisceau n° 1 ❷. Ressortez entre le faisceau n° 3 et le n° 4 en passant l'aiguillée sur le faisceau n° 2 ❸. Tirez l'aiguillée afin d'obtenir un faisceau croisé. Puis, passez l'aiguille sous le faisceau n° 4 et sur le faisceau n°2 ❹. Croisez-les et ressortez après le faisceau n° 4. Continuez ainsi ❺.

Terminez en fixant le fil de l'aiguillée solidement au milieu de l'extrémité gauche de la rivière.

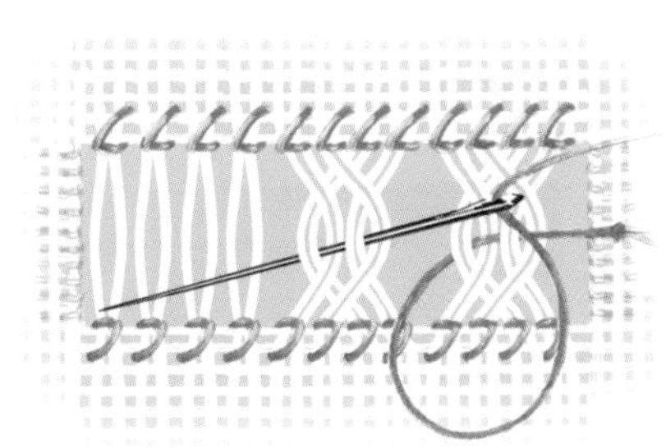

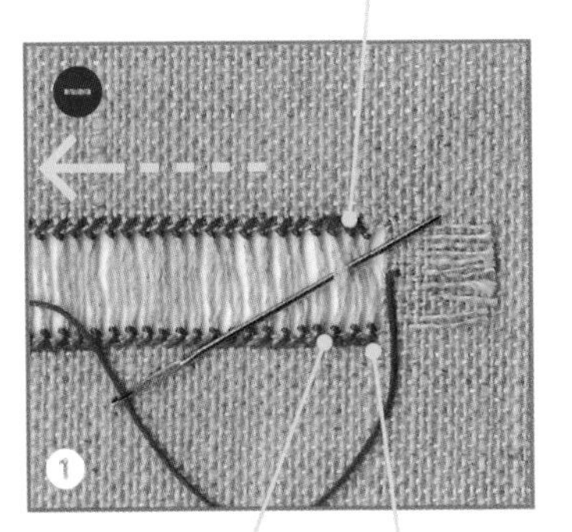

Premier jour

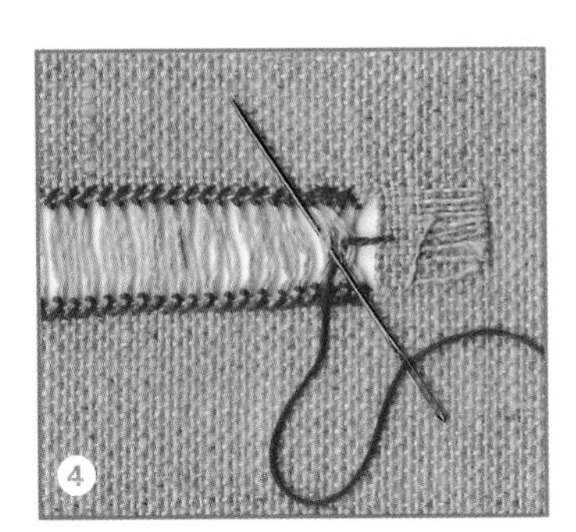

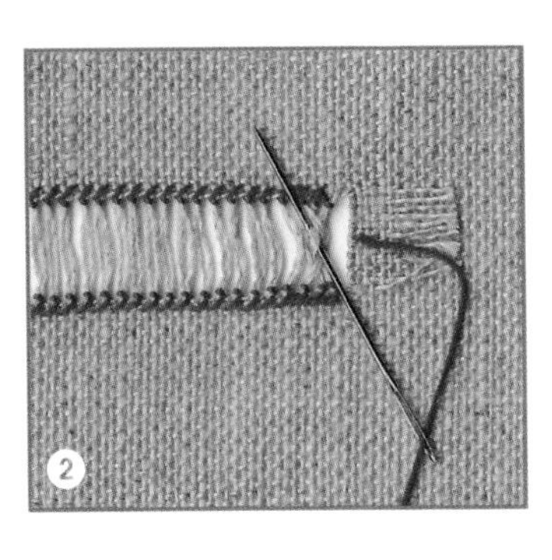

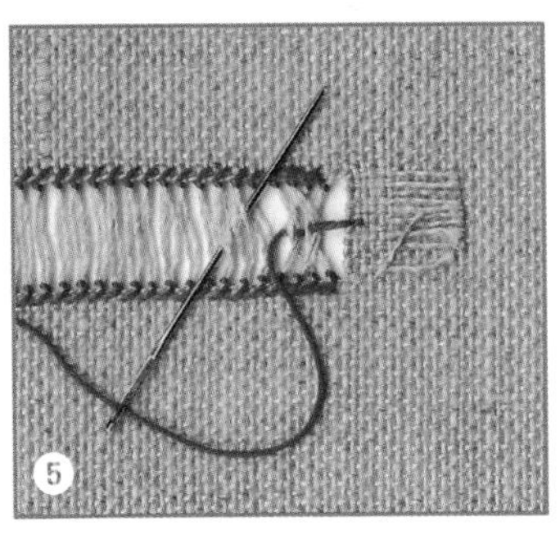

Jour suivant

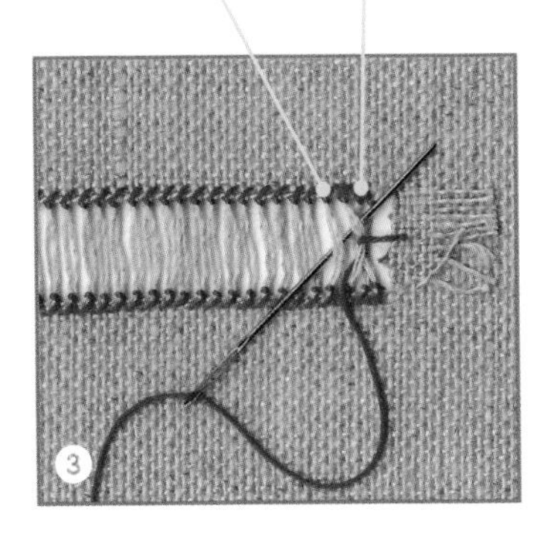

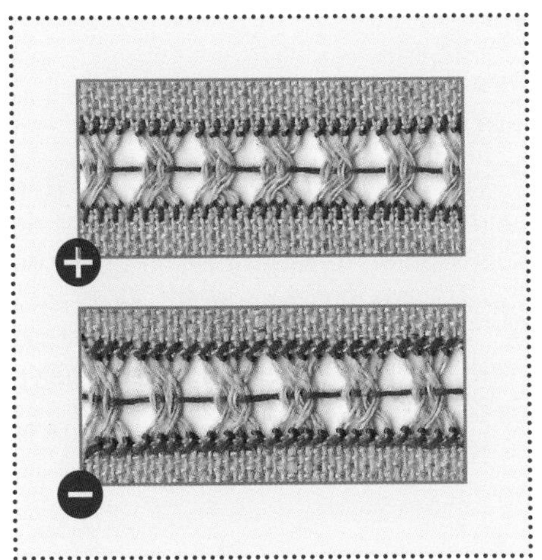

Jours express au point de chausson

Jours express simples au point de chausson

Généralement, ils se travaillent de gauche à droite sur l'endroit de la toile. Délimitez l'emplacement de la rivière et coupez le nombre de fils nécessaires. Rentrez les fils coupés et réalisez un *point de chausson* en alternant les points tantôt derrière 4 fils ajourés ❶ et tantôt sous 2 fils centraux des 4 fils ajourés suivants en piquant l'aiguille 2 fils sous la rivière ❷. Continuez ainsi sur toute la longueur de la rivière. Rentrez le fil sous les points réalisés et faites de même pour le fil de départ.

4 fils ajourés

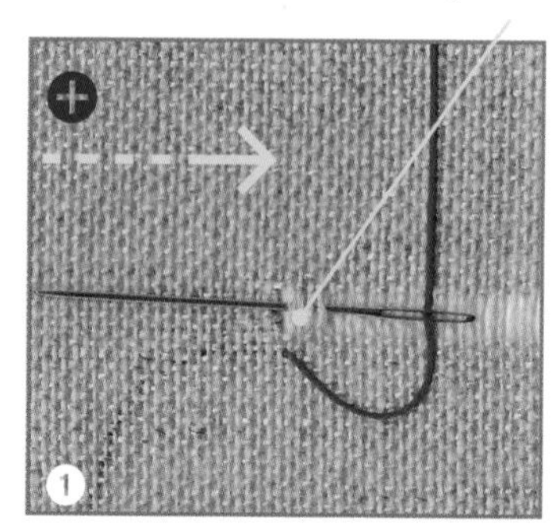

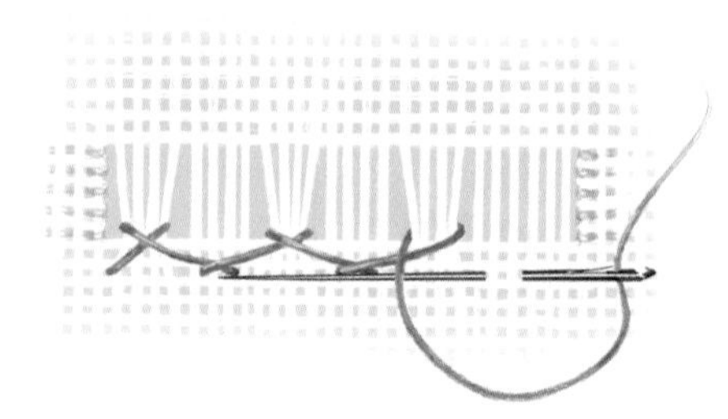

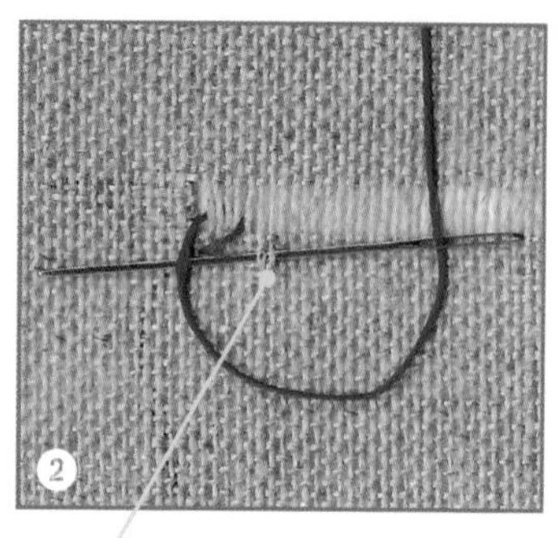

2 fils sous les 4 fils ajourés suivants

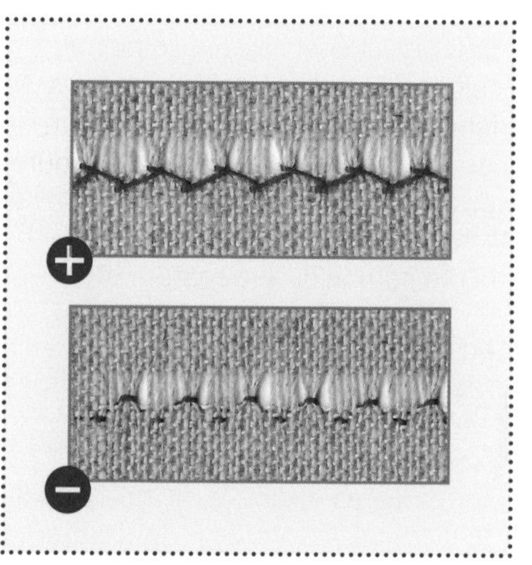

Variante

Il est possible de prendre une nouvelle aiguillée ❶ et de refaire un point de chausson en travaillant les fils qui n'ont pas été pris précédemment ❷. Prenez un fil de même couleur ou accentuez cette variante en prenant une aiguillée de couleur différente.

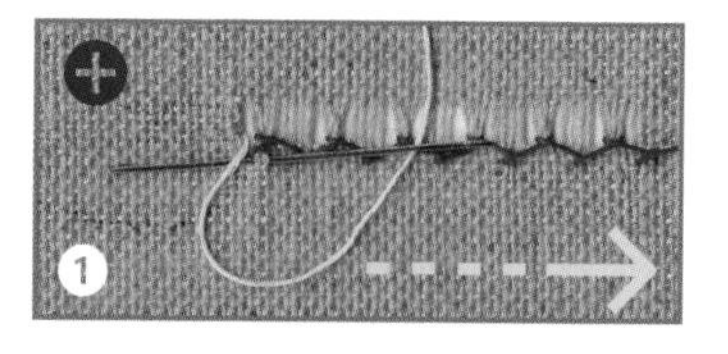

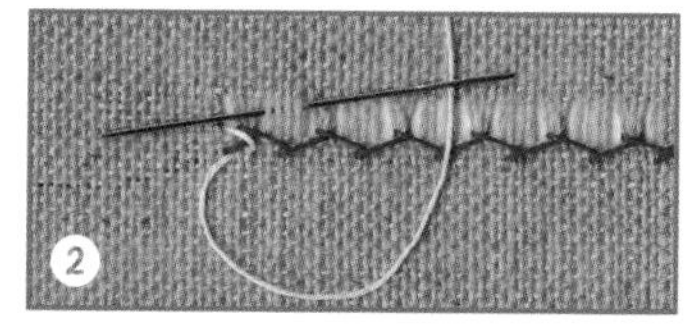

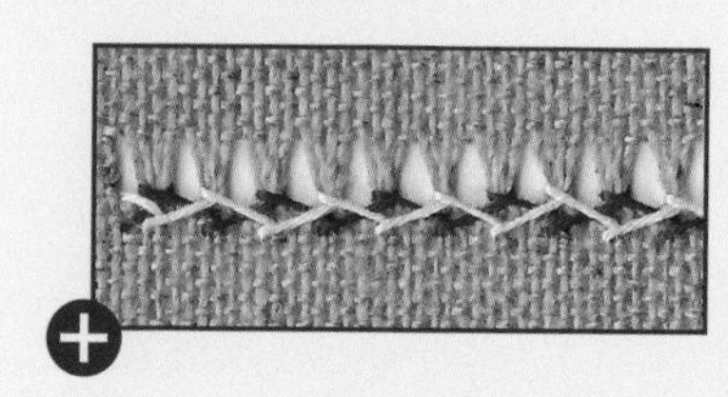

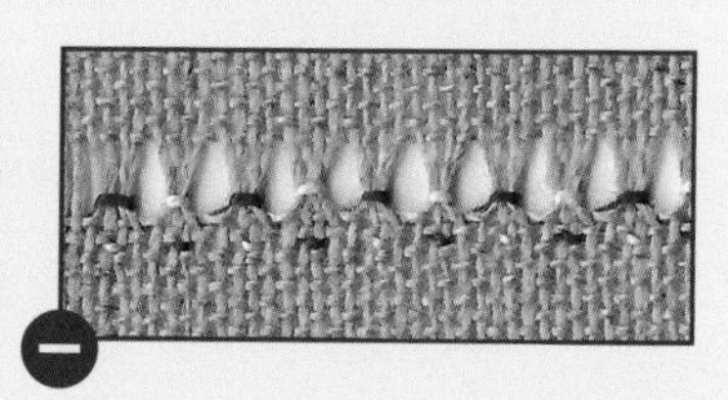

Jours express doubles au point de chausson

Travaillez de gauche à droite sur l'envers de la toile. Délimitez l'emplacement des 2 rivières et coupez le nombre de fils nécessaires ❶. Rentrez les fils coupés. Travaillez désormais de gauche à droite sur l'endroit de la toile. Sortez l'aiguille sur l'endroit de la toile puis sur l'envers, en laissant en attente l'extrémité du fil. Sortez l'aiguille en A et passez l'aiguillée sous les 4 fils ajourés de la rivière supérieure ❷. Allez à la rivière inférieure et passez l'aiguillée sous les 4 fils ajourés suivants ❸. Continuez ainsi. Rentrez le fil sous les points réalisés et faites de même pour le fil de départ.

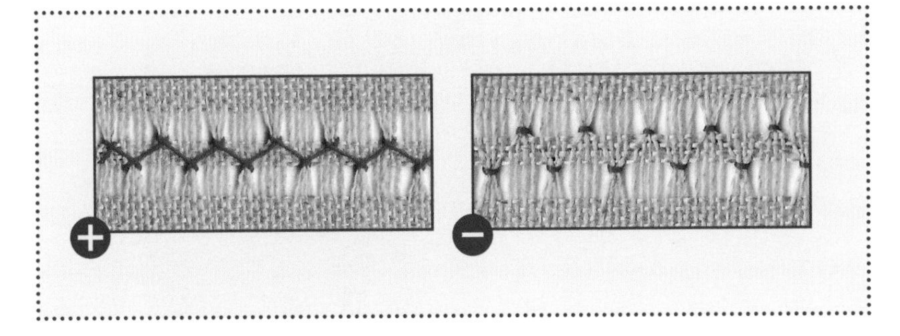

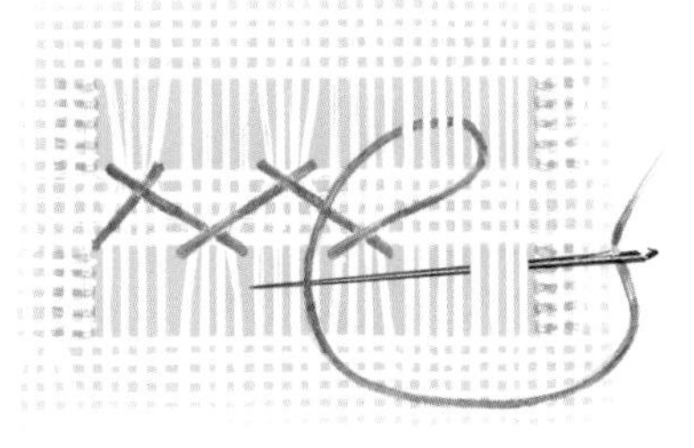

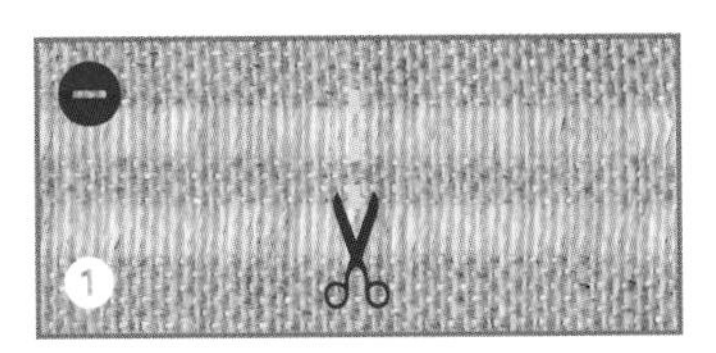

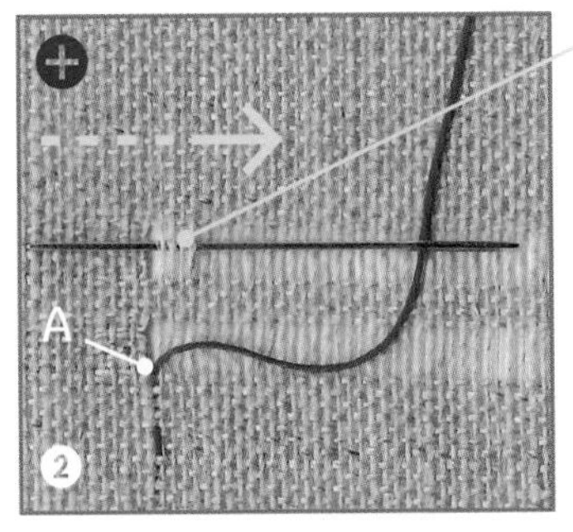

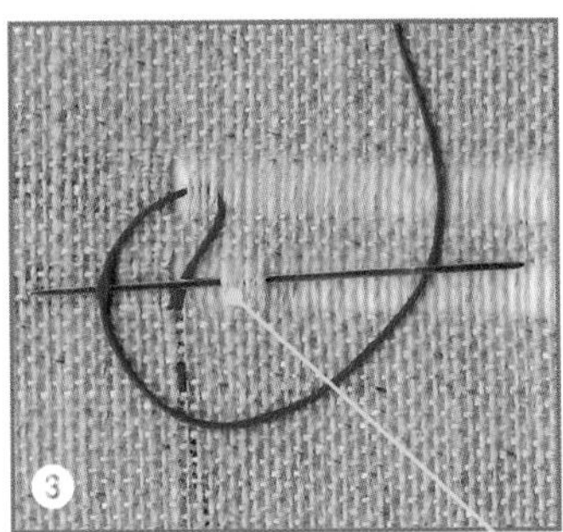

Variante (jours express au point de chausson entrelacé)

Il est possible de prendre une nouvelle aiguillée ❶ et de rebroder le point de chausson précédemment réalisé ❷. Prenez un fil de même couleur ou accentuez cette variante en prenant une aiguillée de couleur différente.

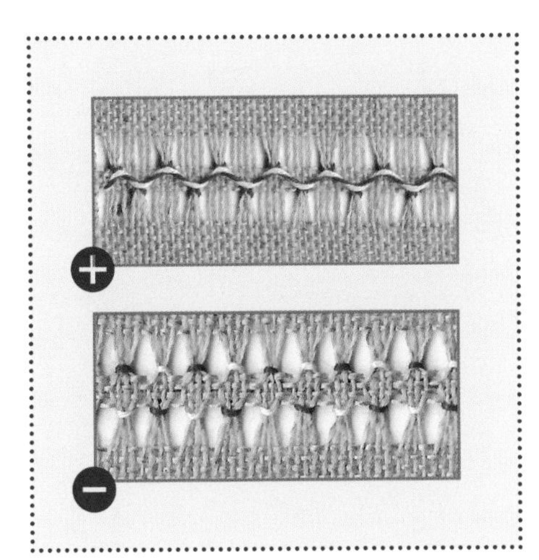

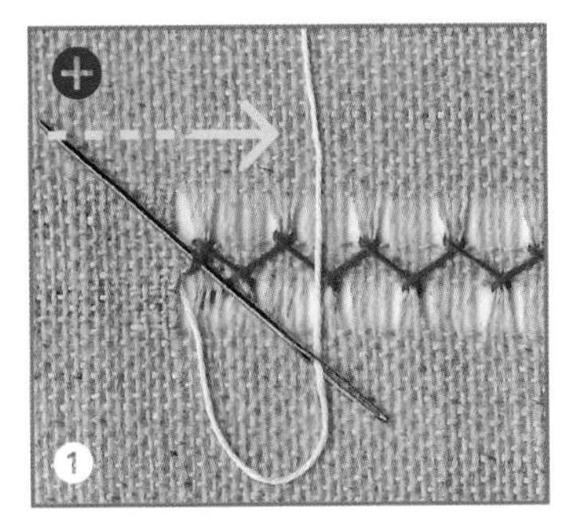

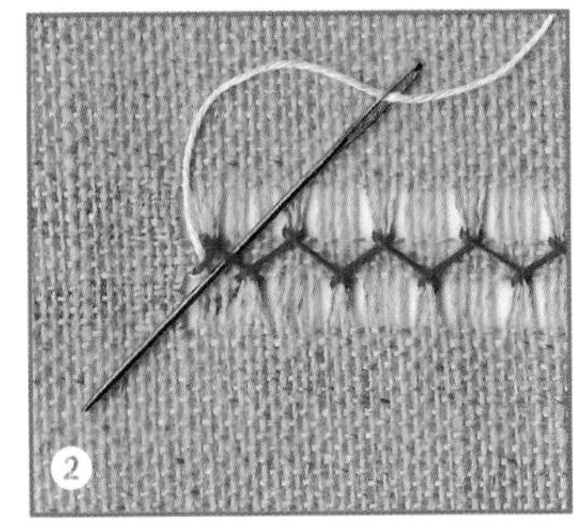

Variante (jours express doubles au point de chausson rebrodé)

Prenez une nouvelle aiguillée ❶ et réalisez une seconde ligne au point de chausson en utilisant les fils qui n'ont pas été précédemment travaillés ❷.

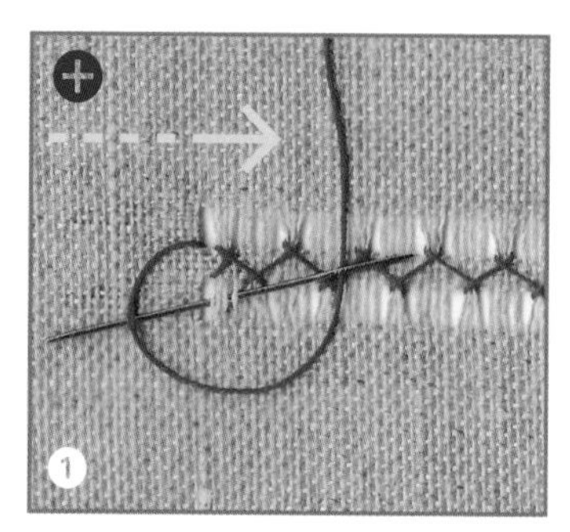

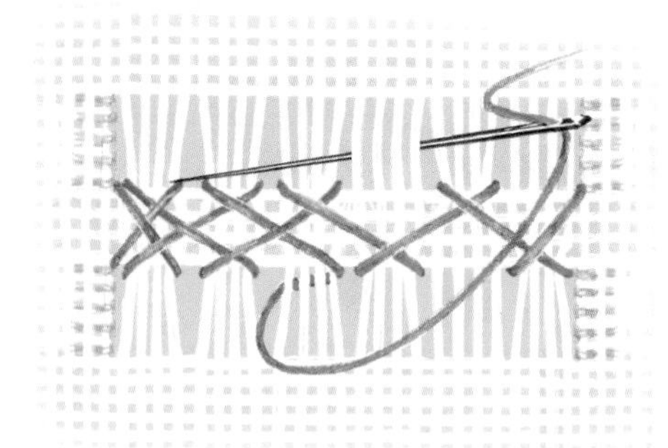

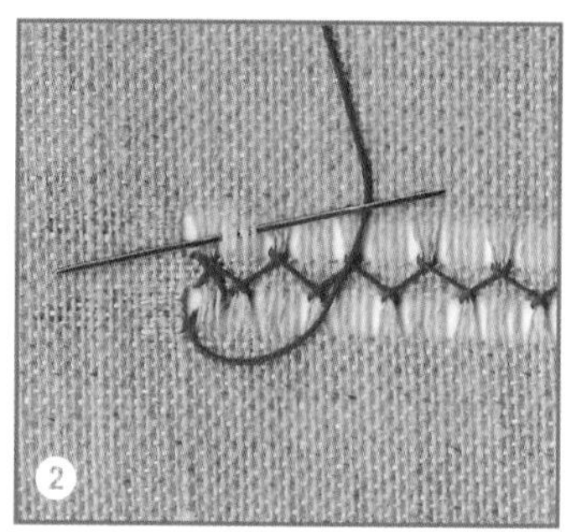

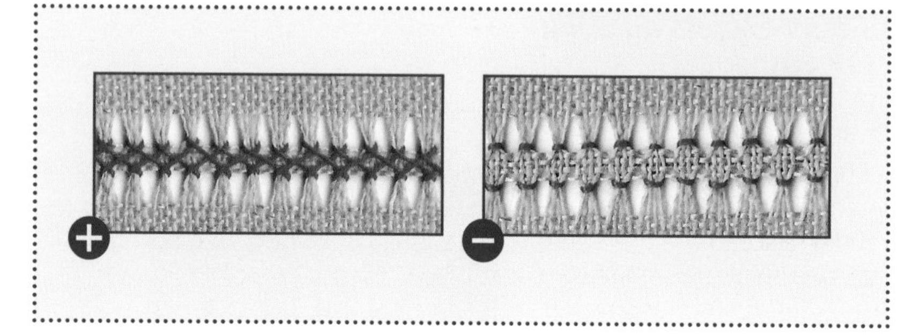

Autre variante

Réalisez la seconde ligne au point de chausson en utilisant les fils qui n'ont pas été précédemment travaillés, mais cette fois en changeant de couleur de fil.

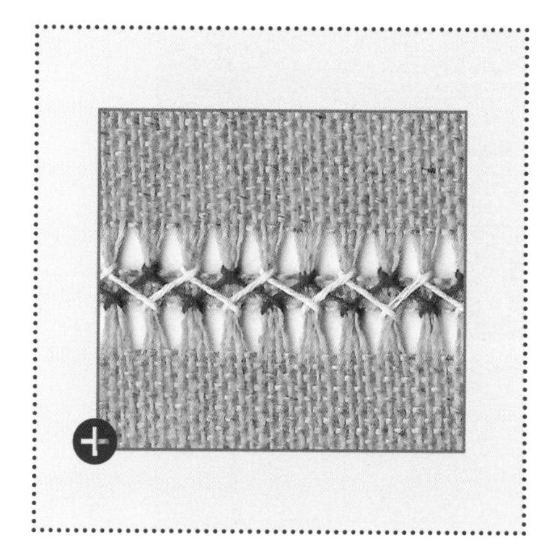

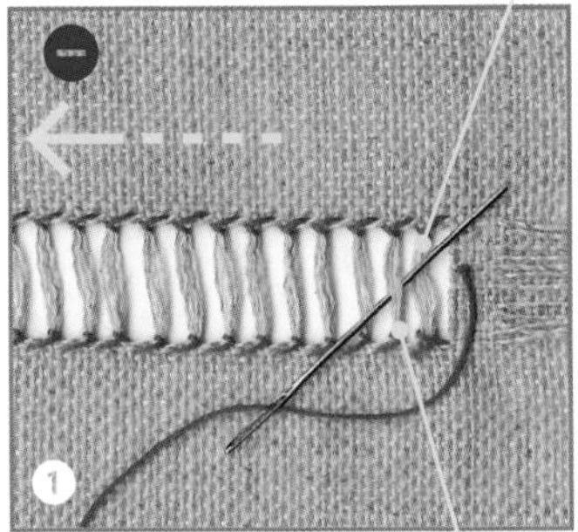

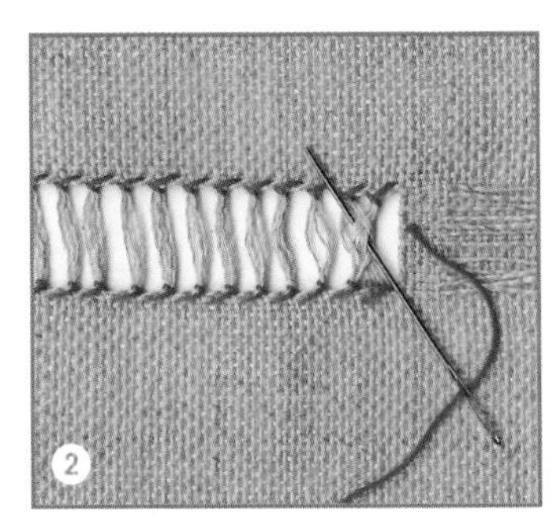

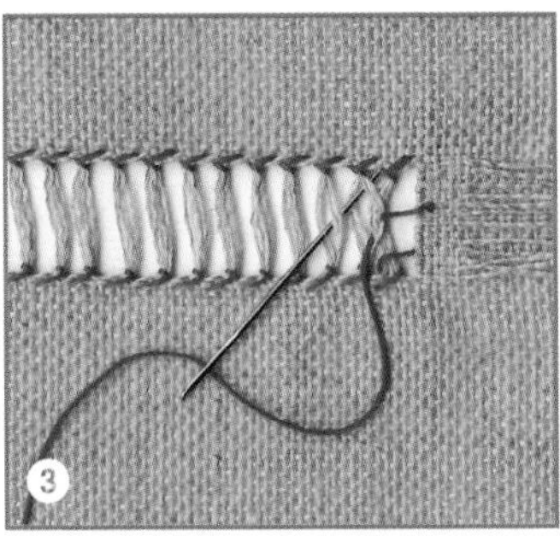

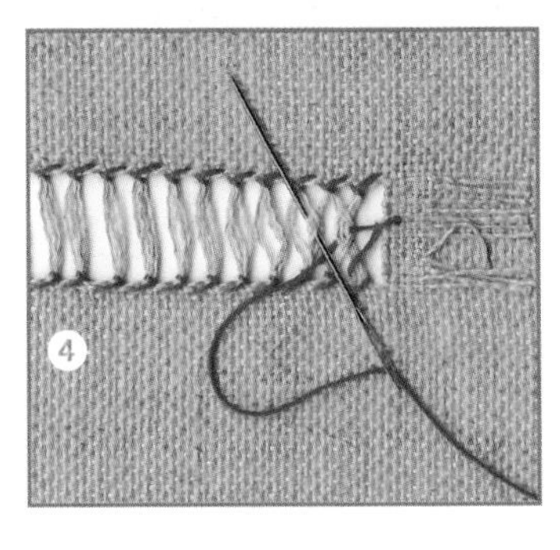

Jours échelles divisés et croisés

Travaillez de gauche à droite sur l'envers de la toile. Délimitez l'emplacement de la rivière et coupez le nombre de fils nécessaires. Rentrez les fils coupés et réalisez des *jours échelles* avec des faisceaux de 4 fils.

Travaillez désormais de droite à gauche, toujours sur l'envers de la toile. Fixez solidement l'aiguillée au milieu de l'extrémité droite de la rivière. Laissez en attente le faisceau n° 1. Glissez l'aiguille au milieu du faisceau n° 2 ❶.

Faites passer les 2 fils de droite du faisceau n° 2 sur le faisceau n° 1 et laissez en attente comme précédemment. Effectuez un mouvement de rotation de la droite vers la gauche et faites sortir l'aiguille au milieu du faisceau n° 2 ❷.

Mettez en attente les 2 fils non travaillés du faisceau n° 2 et divisez en deux le faisceau n° 3 ❸. Faites passer les 2 fils de droite du faisceau n° 3 sur les 2 fils restants du faisceau n° 2 et effectuez un mouvement de rotation ❹, puis sortez au milieu du faisceau n° 3.

Continuez ainsi et terminez la rivière en prenant tous les fils du dernier faisceau. Tendez le fil et fixez-le solidement au milieu de l'extrémité gauche de la toile.

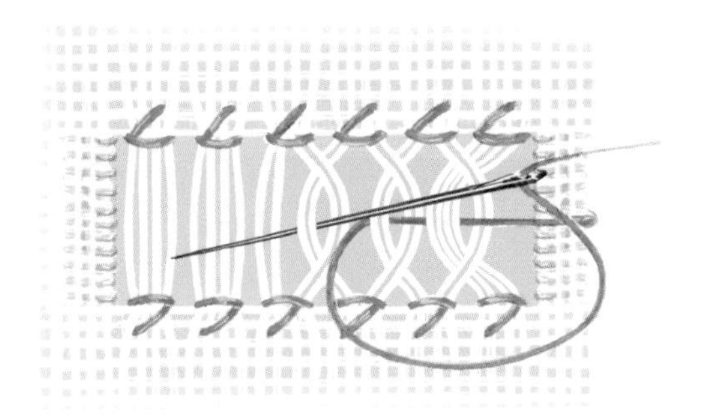

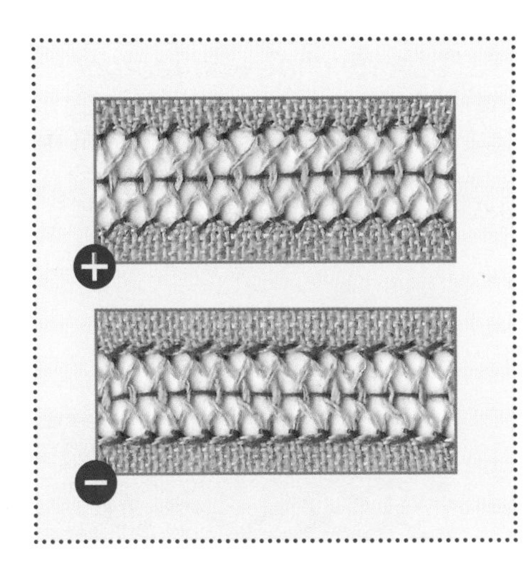

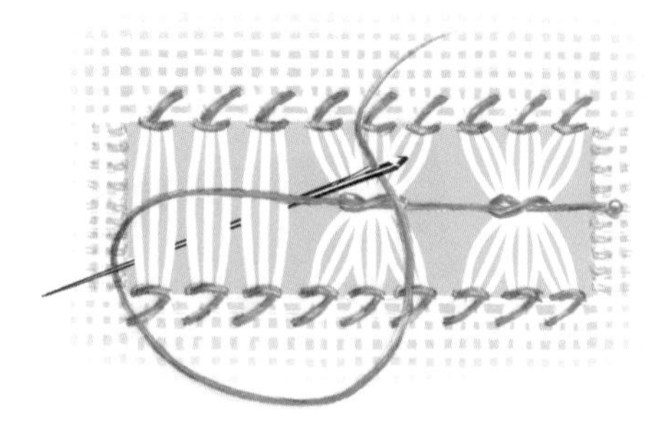

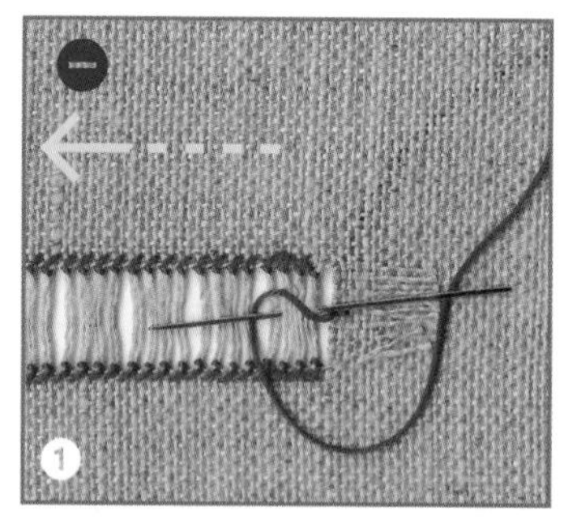

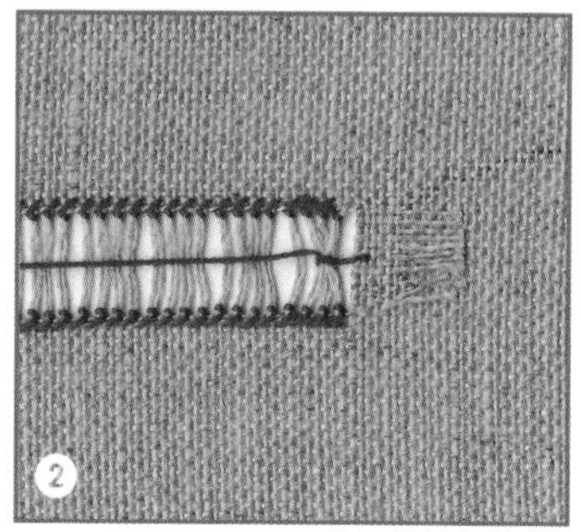

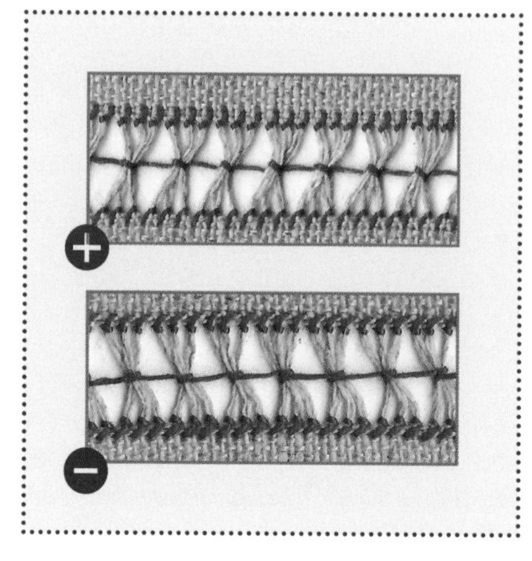

Jours échelles noués

Travaillez de droite à gauche sur l'envers de la toile. Délimitez l'emplacement de la rivière et coupez le nombre de fils nécessaires. Rentrez les fils coupés et réalisez des ***jours échelles*** avec des faisceaux de 2 ou 3 fils.

Fixez solidement l'aiguillée au milieu de l'extrémité droite de la rivière. Passez l'aiguille sous le nombre de faisceaux désirés (ici 3). Puis, faites passer le fil de l'aiguillée sur, puis derrière l'aiguille ❶. Tirez l'aiguillée verticalement jusqu'à ce qu'un petit nœud se forme au milieu des faisceaux ainsi regroupés ❷.

Continuez ainsi sur toute la longueur en tendant le fil et fixez-le solidement au milieu de l'extrémité gauche de la toile.

Jours droits au point de reprise

Généralement, ils se travaillent de gauche à droite sur l'envers de la toile.
Délimitez l'emplacement de la rivière et coupez le nombre de fils nécessaires. Rentrez les fils coupés.
Sortez l'aiguille sur l'envers de la toile en A et glissez-la de gauche à droite sur les 2 premiers fils ajourés et sous les 2 suivants ❶.
Faites glisser l'aiguille de droite à gauche sur les fils ajourés et sous les 2 premiers ❷. Répétez jusqu'en haut de la bride en réalignant de temps en temps les points avec la pointe de l'aiguille.
Pour passer à une autre bride, piquez l'aiguille en B derrière la toile entre 2 brides, 2 fils au-dessus de la rivière (ou en dessous selon le sens travaillé de la bride) puis ressortez cette dernière entre les 4 fils ajourés suivants ❸. Continuez ainsi.
Rentrez le fil sous les points réalisés et faites de même pour le fil de départ.

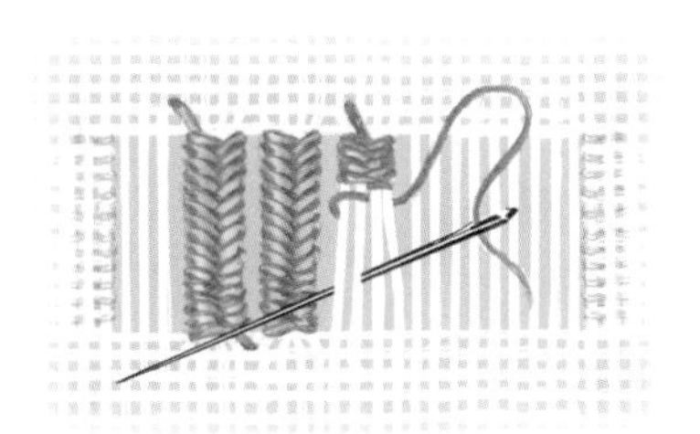

14

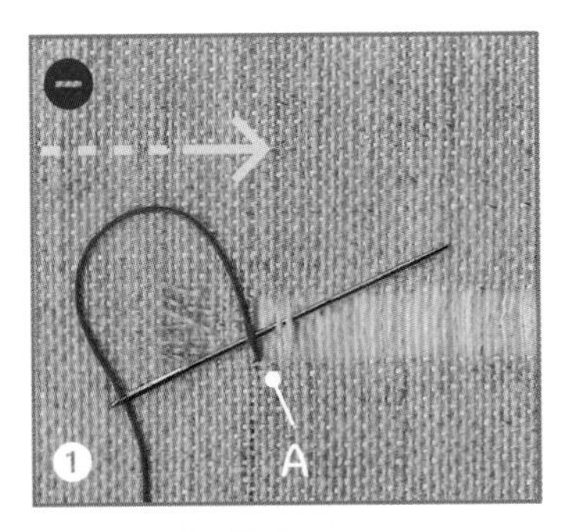

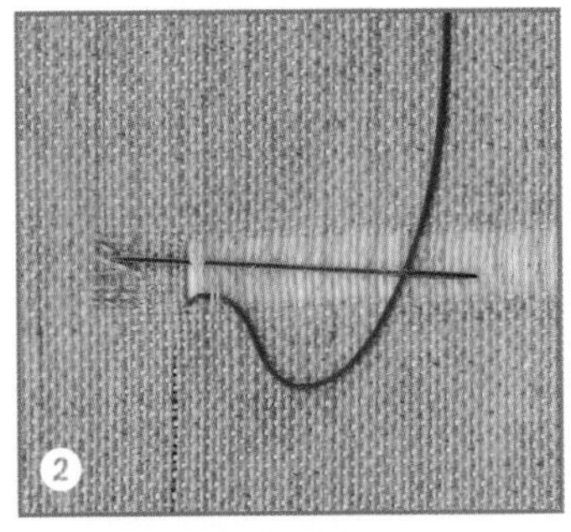

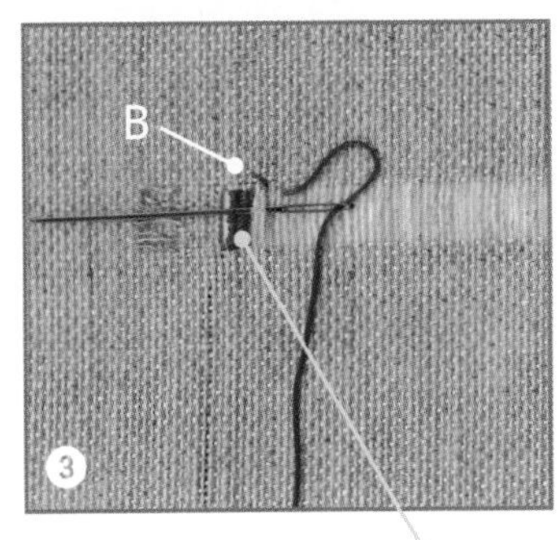

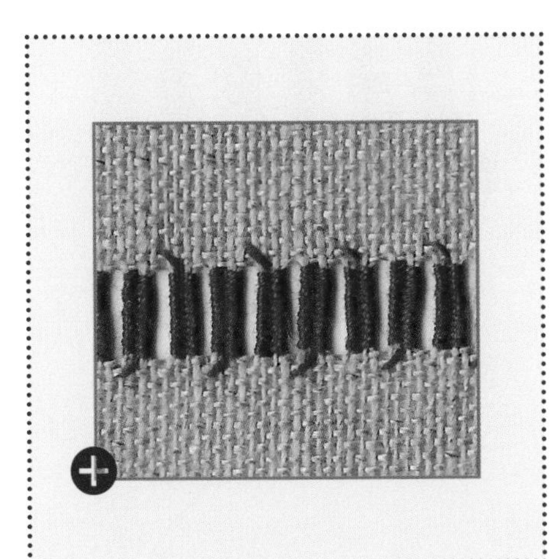

Jours Venise

Généralement, ils se travaillent de gauche à droite sur l'envers de la toile.
Délimitez l'emplacement de la rivière et coupez le nombre de fils nécessaires. Rentrez les fils coupés.
Sortez l'aiguille sur l'envers en A, en haut de la rivière au milieu des 4 fils ajourés qui vont être travaillés. Descendez le fil le long de ces 4 fils et piquez 2 fils sous la rivière, toujours au milieu des 4 fils, sortez en B et remontez l'aiguillée en l'enroulant autour des 4 fils et du fil brodeur ❶.
Terminez en piquant dans la toile en A, 2 fils au-dessus de la rivière au milieu des 4 fils suivants ❷. Recommencez une autre bride de la même manière. Continuez ainsi.
Rentrez le fil sous les points réalisés et faites de même pour le fil de départ.

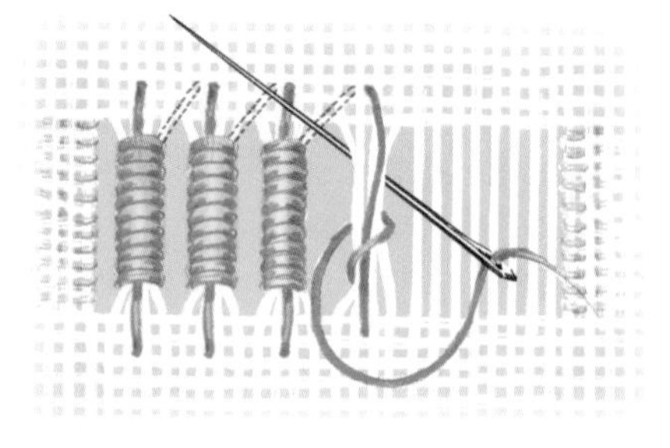

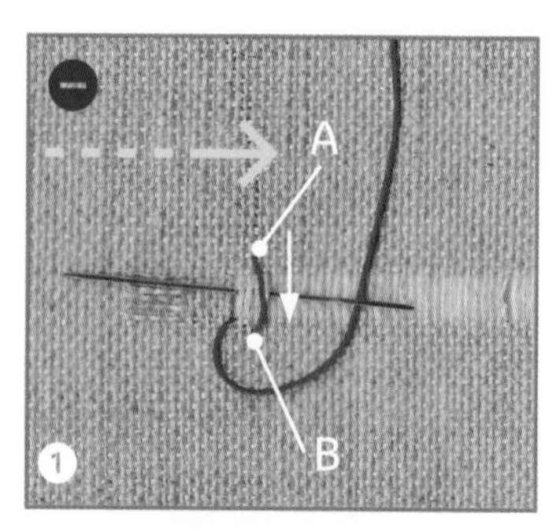

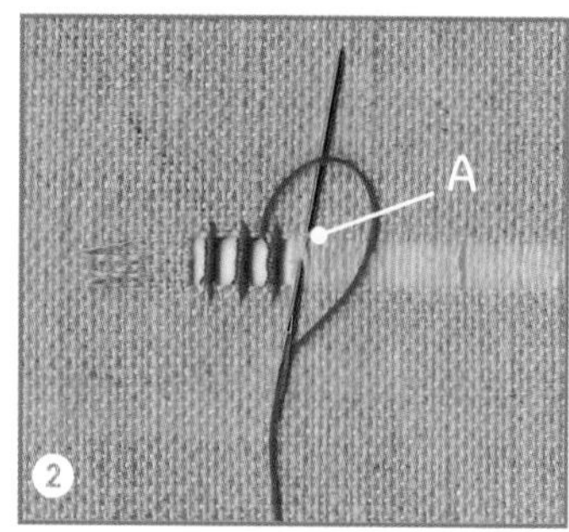

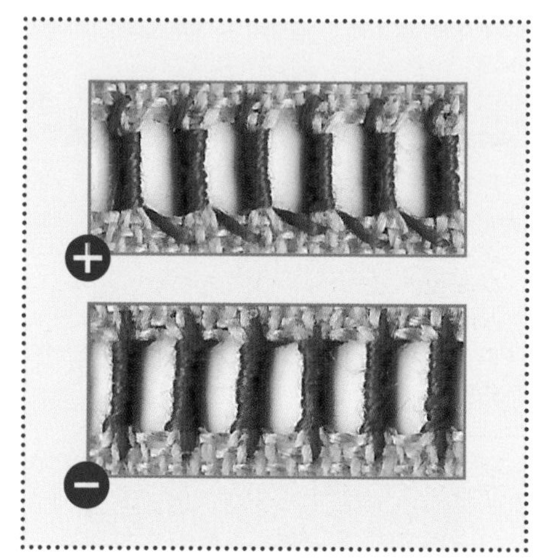

Point de chaînette

Travaillez de droite à gauche. Sortez l'aiguille en 1 sur l'endroit de la toile. Repiquez en 1 et sortez en 2 ❶. Repiquez en 2 et continuez ainsi ❷.
Terminez en rentrant le fil sous les points effectués sur l'envers du travail. Faites de même avec le fil de départ.

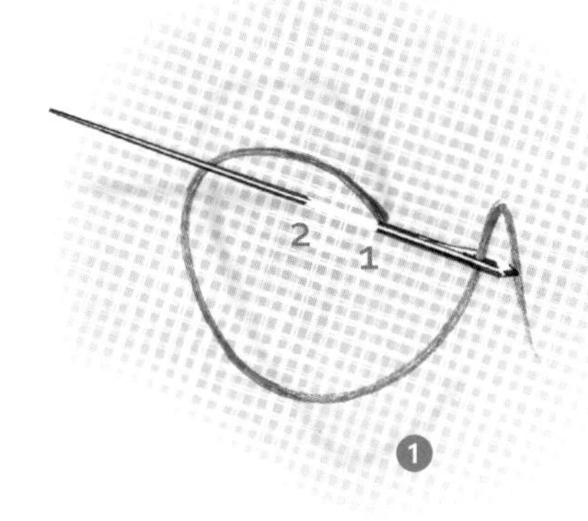

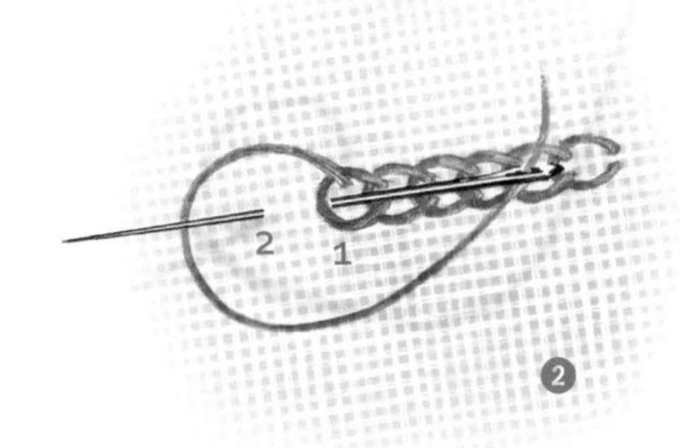

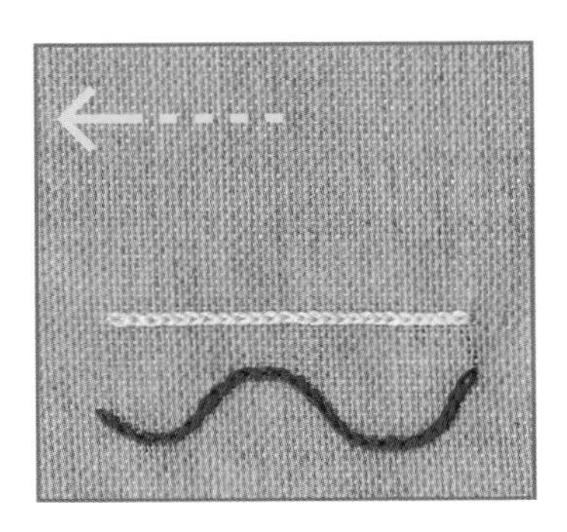

Point de chaînette surjeté

Prenez une aiguillée d'une autre couleur. Travaillez sur un premier côté du point de chaînette réalisé. Avec cette aiguillée, passez sous chaque point sans jamais piquer la toile, sauf aux extrémités. Réalisez le même travail sur l'autre côté. Terminez en rentrant le fil sous les points effectués sur l'envers du travail. Faites de même avec le fil de départ.

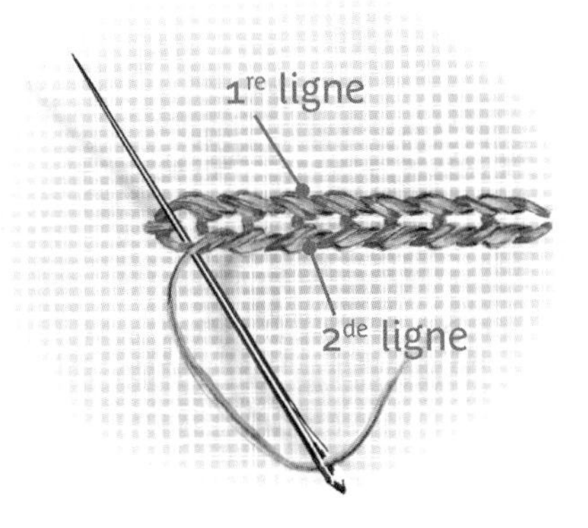

Point de nœud

Sortez l'aiguille en 1 sur l'endroit de la toile. Enroulez deux fois le fil autour de l'aiguille, assez serré mais pas trop ❶. Piquez juste à côté de 1. Tirez l'aiguille sur l'envers du tissu en maintenant le fil enroulé près de l'aiguille ❷.

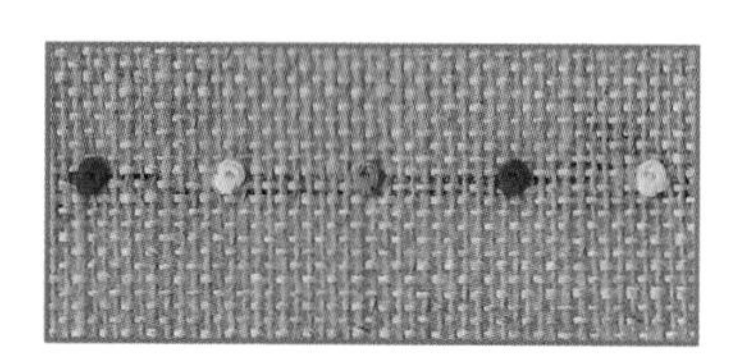

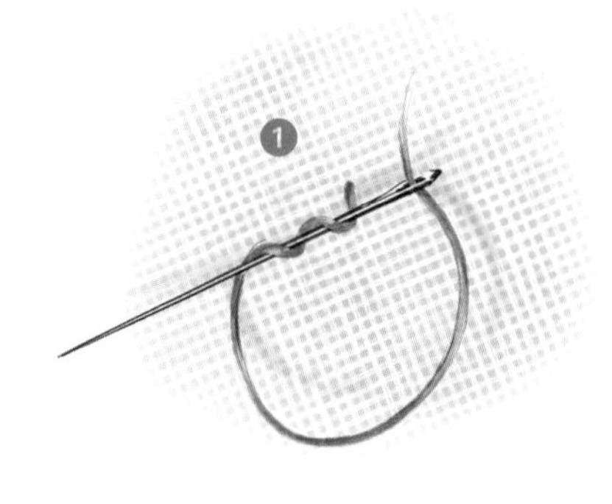

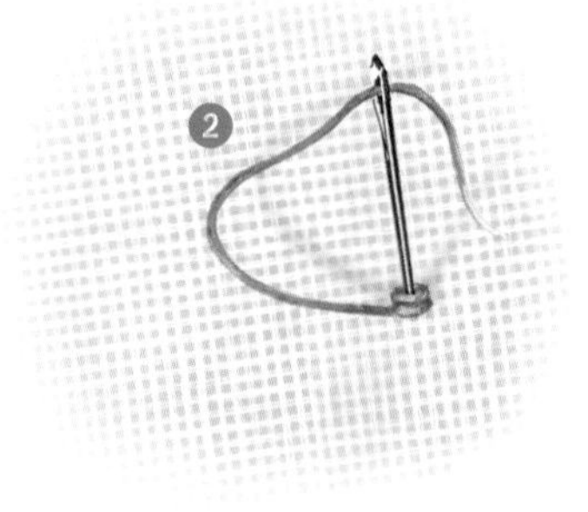

Point de bouclette

Sortez l'aiguille en 1 sur l'endroit de la toile. Repiquez en 1 et sortez en 2 en faisant passer le fil sous l'aiguille ❶. Piquez en 3, à l'extérieur de la boucle ❷.

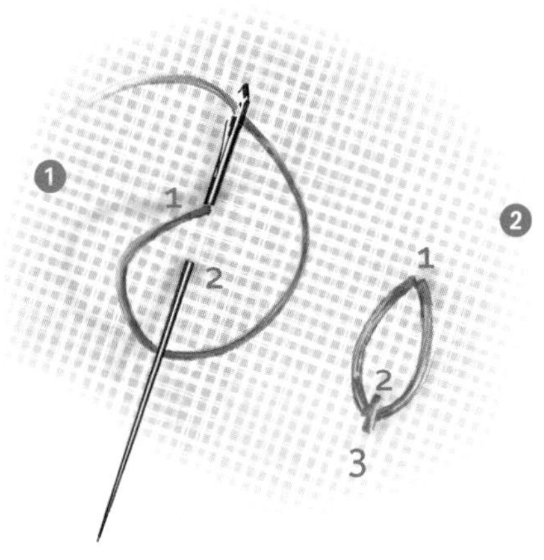

Point d'œillet

Brodez les points d'œillet sur l'endroit de la toile. Sortez en 1, piquez en 2, sortez en 3, piquez en 2, etc. À chaque fois repassez par le centre de l'étoile en 1.

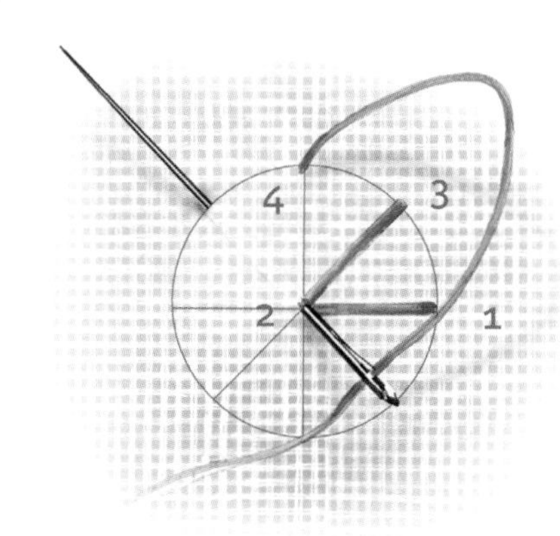

Point d'épine

Travaillez de haut en bas sur trois lignes. Sortez l'aiguille en 1 sur la ligne médiane. Piquez en 2, à droite du point 1, légèrement en dessous du point 1, et ressortez en 3, sur la ligne médiane, le fil de l'aiguillée passant sous l'aiguille ❶. Puis, piquez en 4, légèrement en dessous du point 3. Ressortez en 4, sur la ligne médiane ❷. Continuez ainsi sur toute la longueur ❸.
Terminez en rentrant le fil sous les points effectués sur l'envers du travail. Faites de même avec le fil de départ.

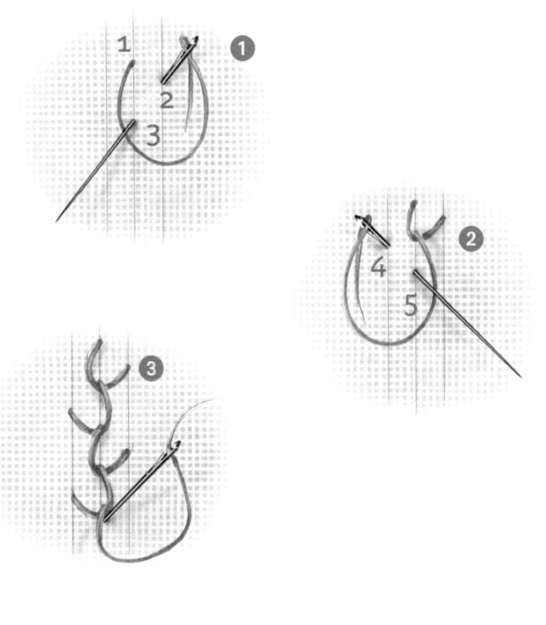

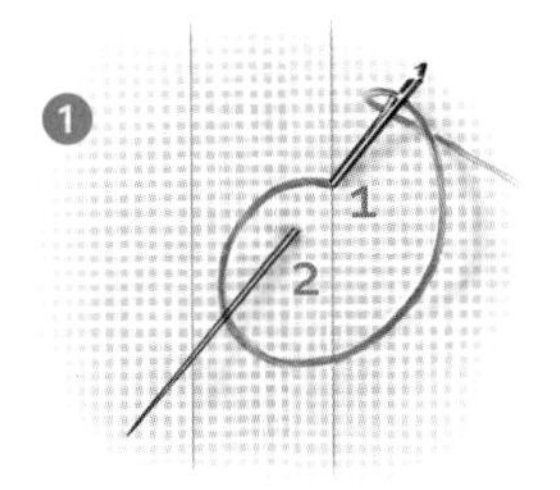

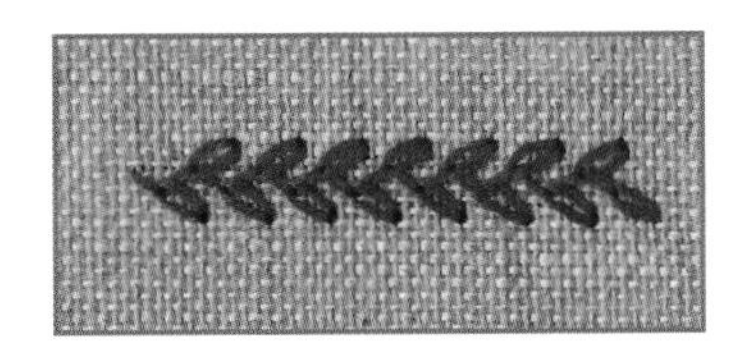

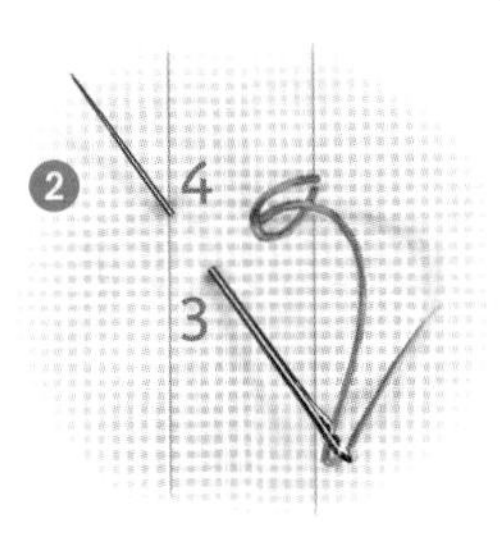

Point d'épine en chaînette

Sortez l'aiguille en 1 sur l'endroit du tissu. Repiquez en 1 et sortez l'aiguille en 2 en faisant passer le fil sous l'aiguille ❶. Piquez en 3 et sortez en 4 ❷. Repiquez en 4 et sortez l'aiguille en 3 ❸.
Continuez ainsi, alternativement à droite puis à gauche, en déplaçant l'aiguille toujours de la même manière ❹. Terminez en rentrant le fil sous les points effectués sur l'envers du travail. Faites de même avec le fil de départ.

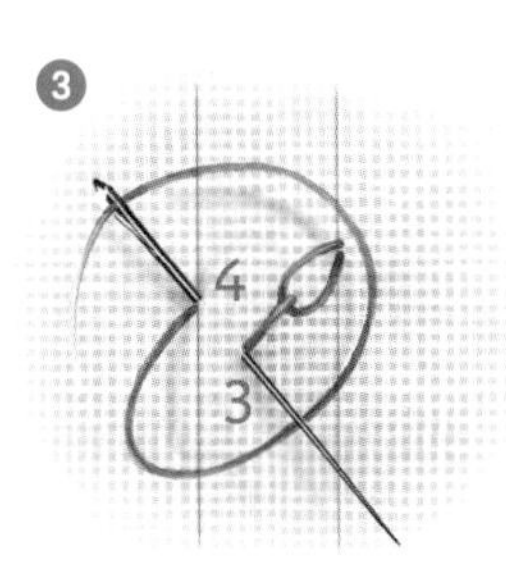

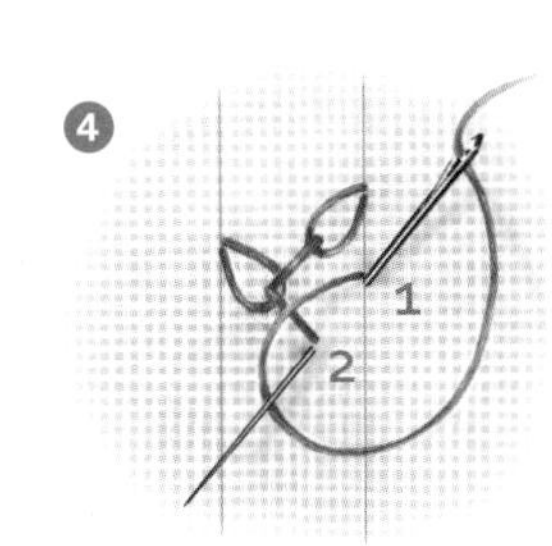

Point d'épine en chaînette surjeté

Prenez une aiguillée d'une autre couleur. Dans chaque boucle, faites un point avant afin de remplir ces dernières.

Point de chausson

Travaillez de gauche à droite sur deux lignes. Sortez l'aiguille en 1, sur la ligne du bas. Piquez en 2, sur la ligne du haut, et ressortez quelques fils plus loin en 3 ❶. Ressortez en 4 sur la ligne du bas. Continuez ainsi sur toute la longueur ❷.

Terminez en rentrant le fil sous les points effectués sur l'envers du travail. Faites de même avec le fil de départ.

Selon la hauteur du point et le nombre de fils espaçant les points, l'effet obtenu peut être très varié.

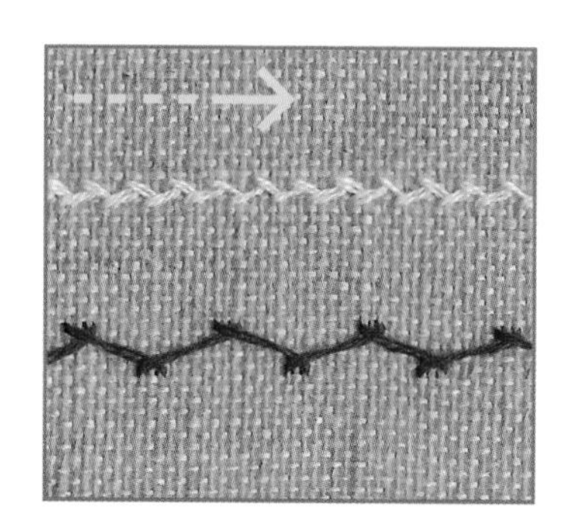

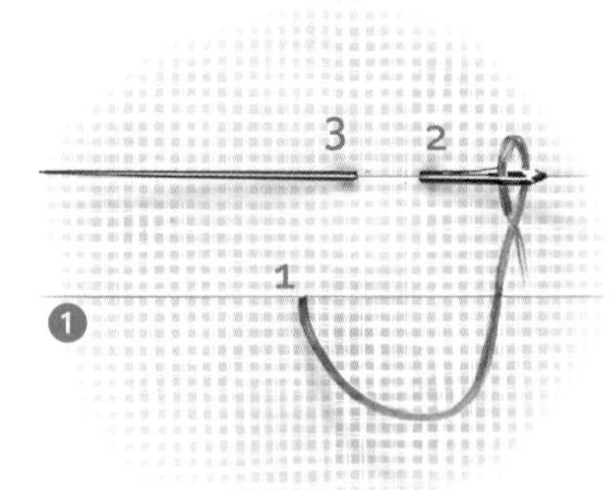

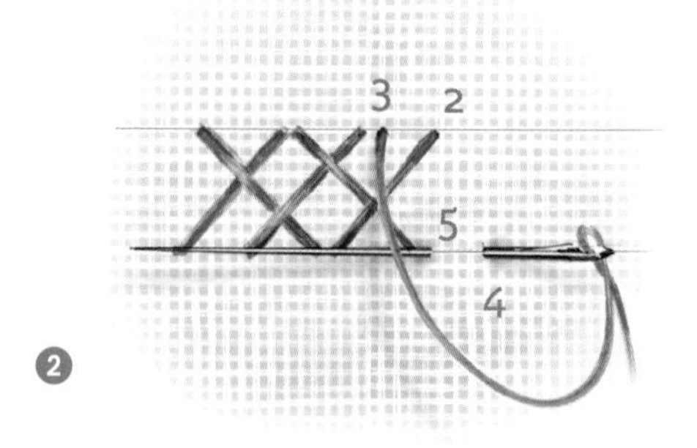

Variantes du point de chausson

Ce point offre de multiples possibilités de rendu en lui associant d'autres points de broderie. Le fait de prendre une aiguillée d'une autre couleur accentue les effets.

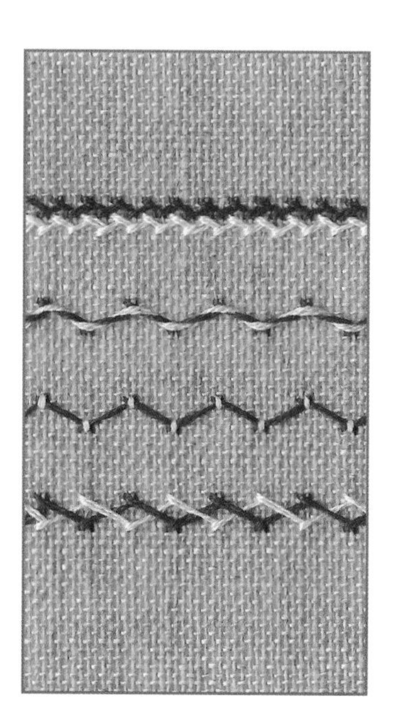

Deux lignes de points de chausson

Point de chausson surjeté

Point de chausson noué

Point de chausson double

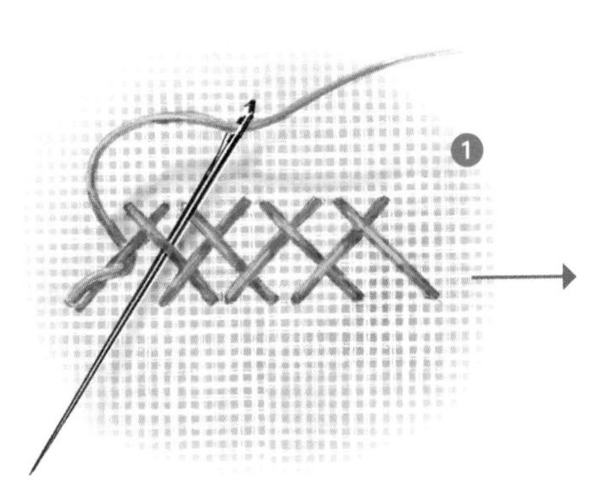

Deux lignes de points de chausson

Faites un *point de chausson*, puis réalisez une deuxième ligne en dessous.

Point de chausson surjeté

Faites un *point de chausson*. Prenez une aiguillée d'une autre couleur et glissez-la de bas en haut sous le 1er point ❶. Passez au second point et glissez l'aiguille sous ce dernier de haut en bas ❷. Continuez ainsi.

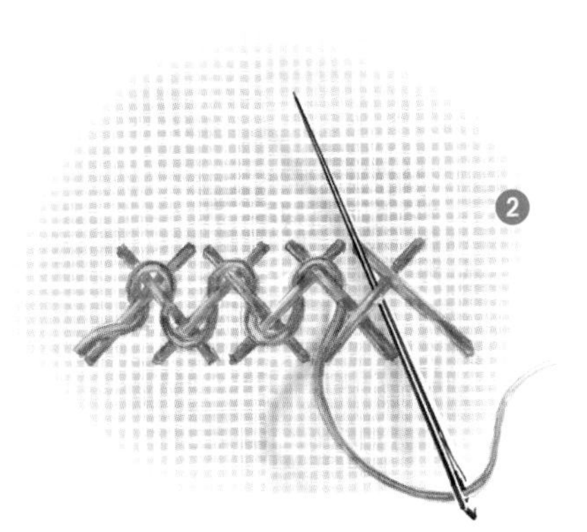

Point de chausson noué

Faites un point de chausson. Prenez une aiguillée d'une autre couleur. Sortez en 1 et piquez en 2. Ressortez l'aiguille en 3 et piquez en 4, puis ressortez en 5 ❶. Continuez ainsi ❷.

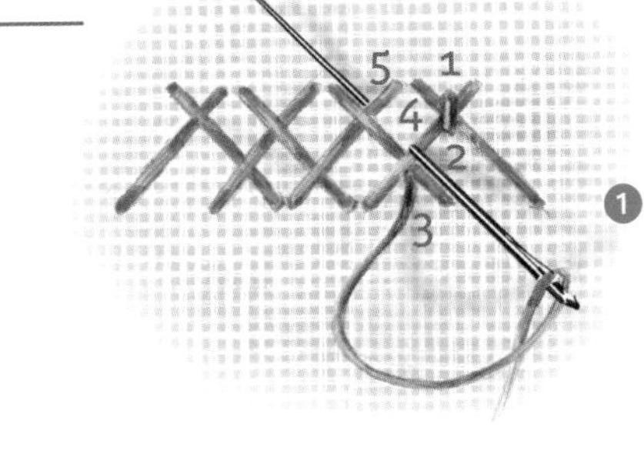

Point de chausson double

Faites un point de chausson. Prenez une aiguillée d'une autre couleur et réalisez une autre rangée de points de chausson. Sortez l'aiguille en 1 et piquez en 2. Ressortez en 3 ❶. Piquez en 4, sur la ligne du haut et ressortez en 5. Faites passer l'aiguille sous le point précédent et continuez cette ligne au point de chausson ❷.

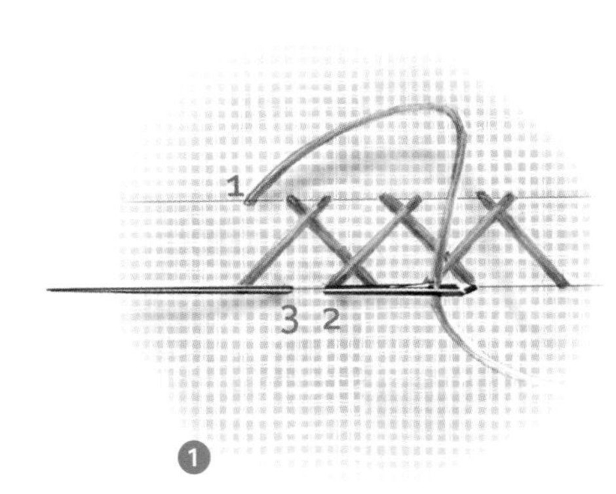

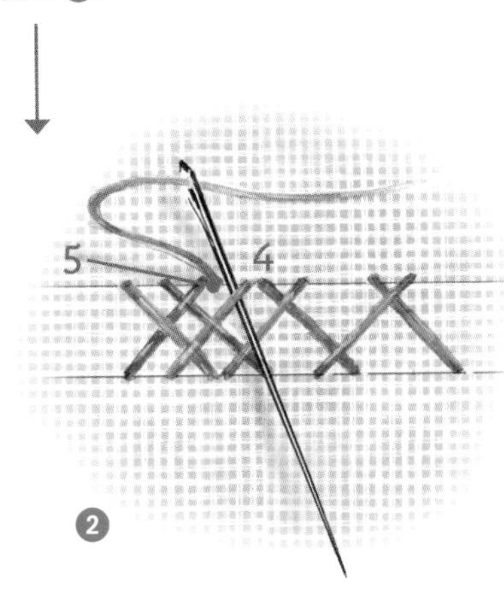

Point de grébiche et point de feston

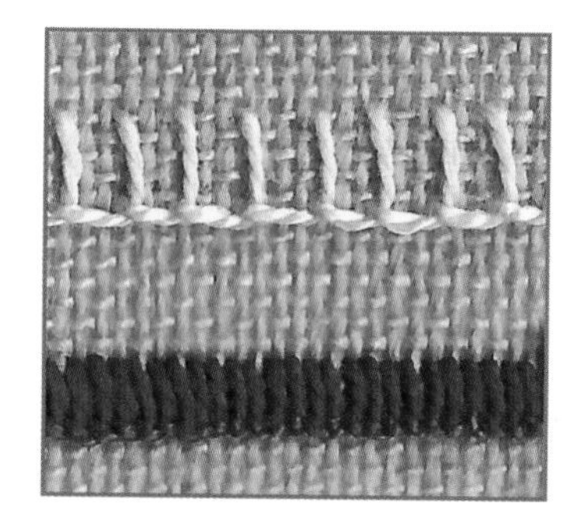

Sortez l'aiguille en 1 sur l'endroit de la toile. Piquez en 2 et sortez l'aiguille en 3, en dessous du point 2 ❶.
Faites des points réguliers et espacés pour obtenir une ligne au point de grébiche. Faites des points réguliers mais rapprochés pour obtenir une ligne au point de feston ❷.
Terminez en rentrant le fil sous les points effectués sur l'envers du travail. Faites de même avec le fil de départ.

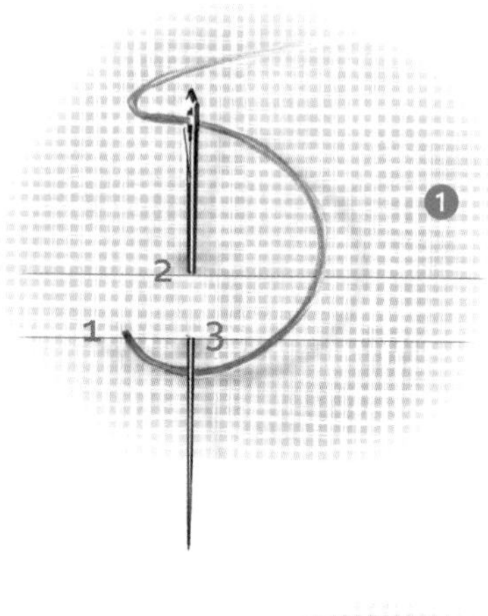

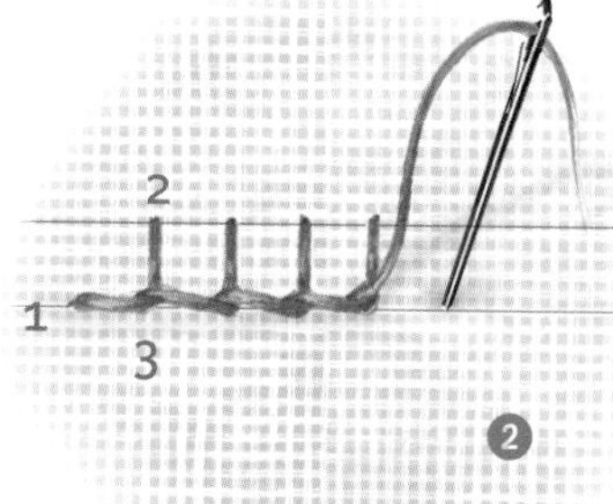

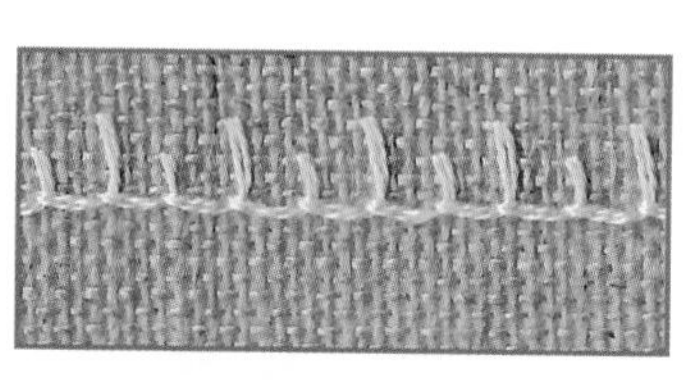

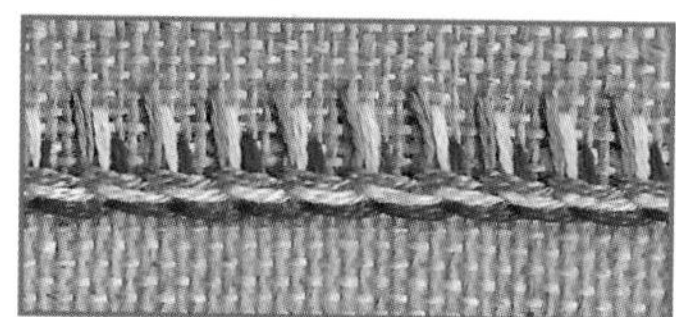

Variantes du point de feston

Point de grébiche dégradé

Brodez une ligne au *point de grébiche* en intercalant, de façon régulière, des points hauts et des points plus petits.

Il est possible de réaliser une deuxième, une troisième, voire une quatrième ligne.

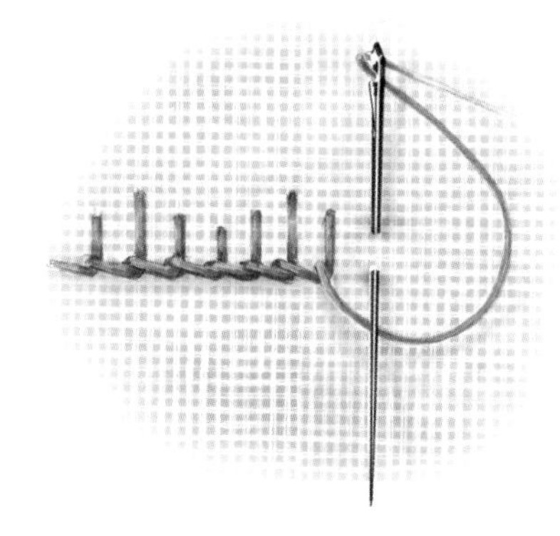

Point de grébiche en cercle

Point de grébiche bouclé

Sortez l'aiguille en 1 sur l'endroit de la toile. Piquez en 2 et ressortez en 3, le fil de l'aiguillée passant sous l'aiguille ❶. Continuez ainsi en faisant des points régulièrement espacés et de même longueur ❷. Prenez une aiguillée d'une autre couleur. Réalisez de la même façon une ligne au point de grébiche juste au-dessus de celle préalablement brodée. Faites des points un peu plus grands.

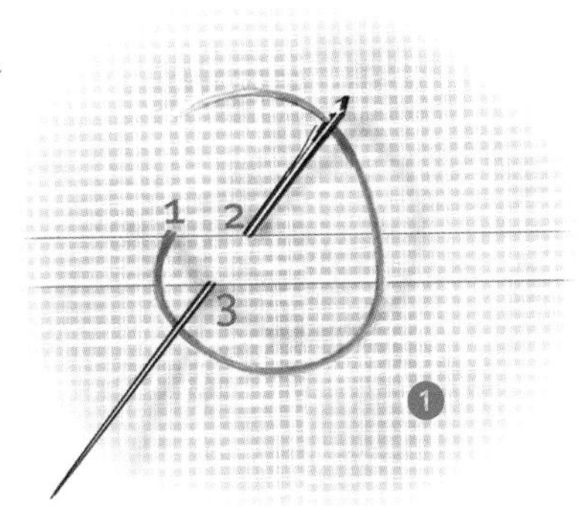

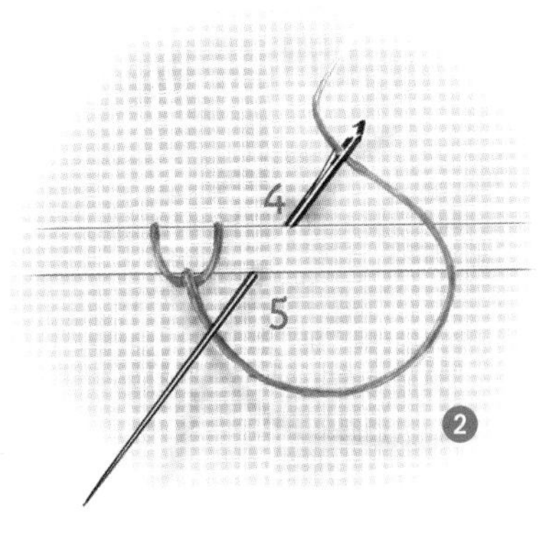

Roue festonnée

Travaillez dans le sens inverse des aiguilles d'une montre. Sortez l'aiguille au centre de la roue sur l'endroit de la toile. À partir de ce centre, faites des points de feston afin de réaliser une roue.

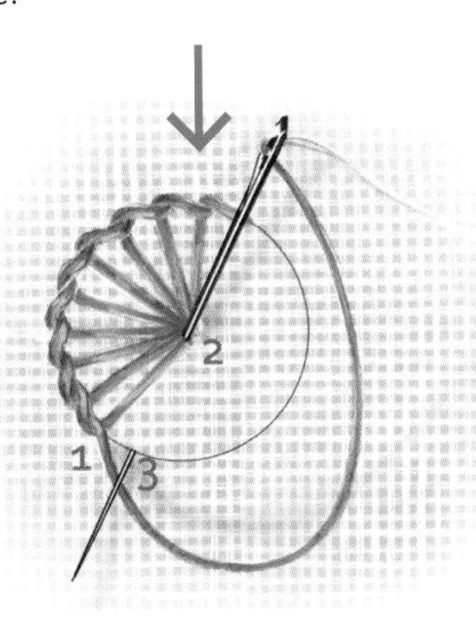

Fleur festonnée

Sortez l'aiguille en 1 sur l'endroit de la toile. Piquez en 2 et ressortez en 3, le fil de l'aiguillée se trouvant sous l'aiguille. Faites des petits points espacés de manière à obtenir un cercle régulier.

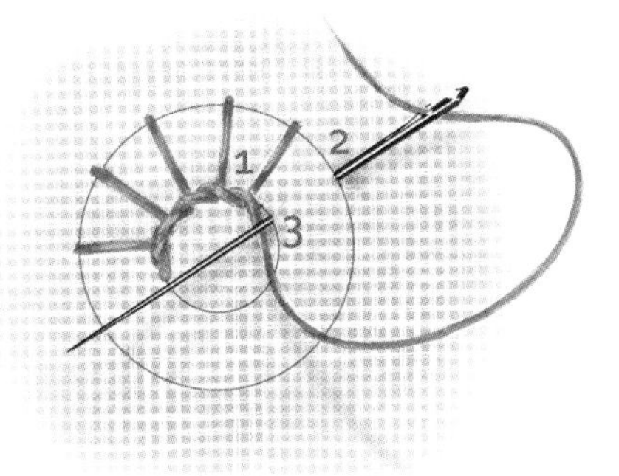

Point de croix ou point compté

Travaillez de gauche à droite. Les croix doivent être de la même dimension et de la même inclinaison. Les points seront tous croisés dans le même sens. Sortez l'aiguille en 1. Piquez en 2 et ressortez en 3. Piquez en 4 et ressortez en 5 puis piquez en 6. Continuez ainsi ❶. Revenez en sens inverse pour former des croix et ainsi terminer le rang. Ainsi, sortez en 7 et piquez en 4 ❷. Ressortez en 5 et piquez en 2. Continuez ainsi. Terminez en rentrant le fil sous les points effectués sur l'envers du travail. Faites de même avec le fil de départ.

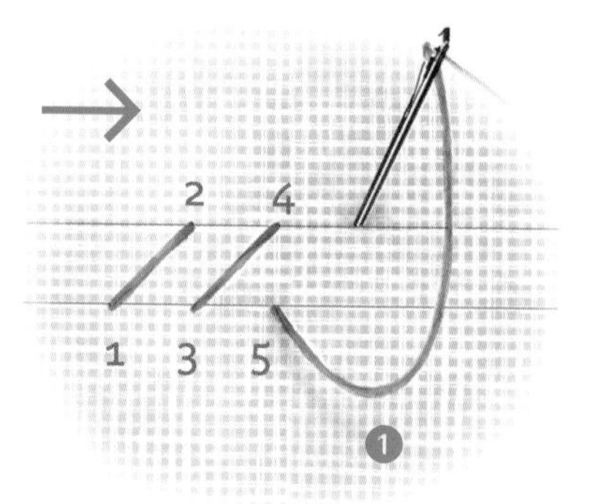

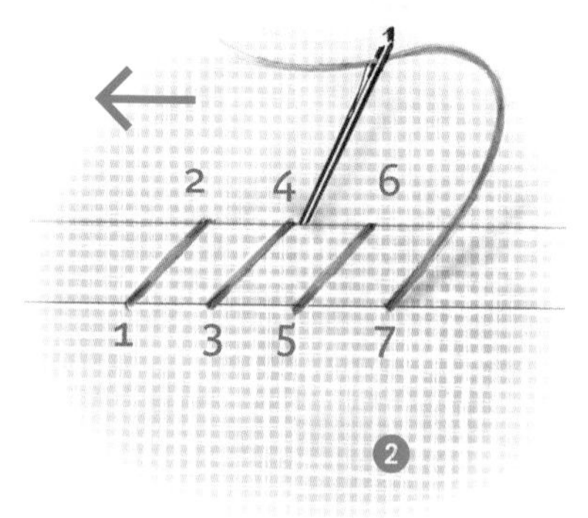

Point de Rhodes

Réalisez le cœur au point de Rhodes en suivant les numéros du dessin ci-contre. Sortez en 1, piquez en 2, sortez en 3. Continuez ainsi. Cela revient à faire des points lancés.
Terminez en rentrant le fil sous les points effectués sur l'envers du travail. Faites de même avec le fil de départ.

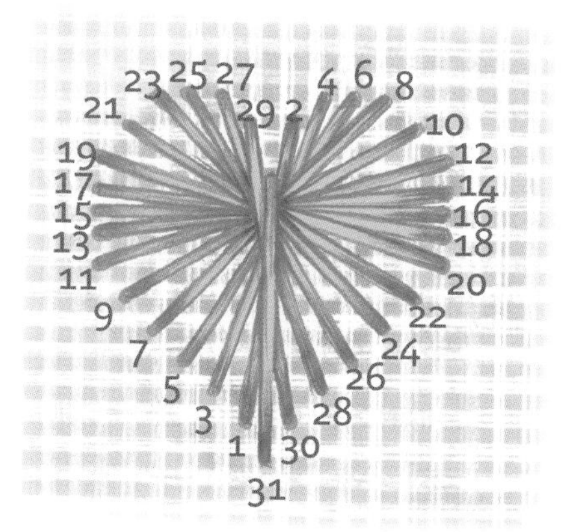

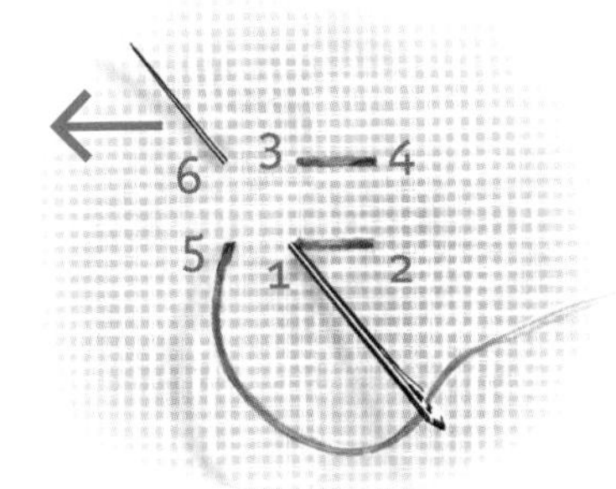

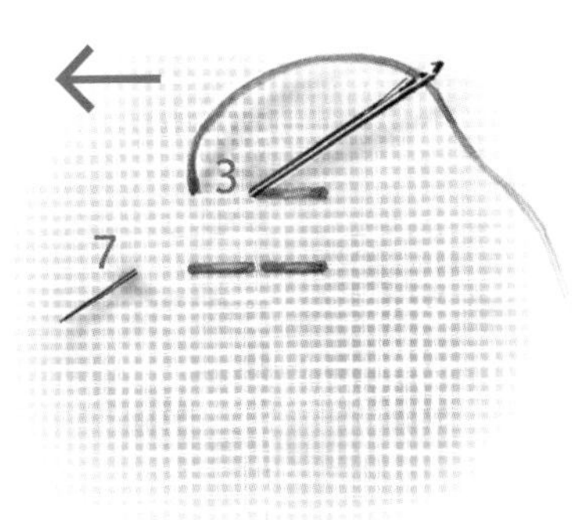

Point quadrillé

Travaillez de droite à gauche sur deux lignes.
Sortez l'aiguille en 1 sur la ligne inférieure. Piquez en 2 et sortez en 3 sur la ligne haute, juste au-dessus de 1. Piquez en 4, juste au-dessus de 2 et sortez en 5 à gauche de 1. Repiquez en 1 et sortez en 6 ❶. Repiquez en 3 et sortez en 7 ❷. Continuez ainsi en faisant des points réguliers.
Terminez en rentrant le fil sous les points effectués sur l'envers du travail. Faites de même avec le fil de départ.

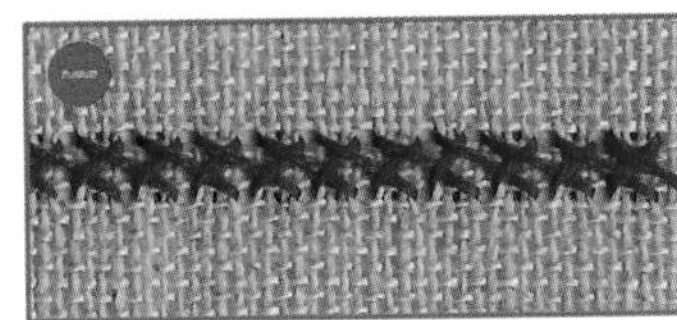

Variante

L'envers du point mérite que l'on s'y intéresse. Ainsi, il peut également être utilisé comme point de broderie à part entière.

Point d'Araignée

Travaillez sur l'endroit de la toile.
Commencez par faire une étoile.
Sortez l'aiguille en 1 sur l'endroit, à gauche du 1er rayon. Glissez l'aiguille sous le 1er rayon, revenez en arrière et glissez une nouvelle fois l'aiguille sous ce 1er rayon ❶. Passez l'aiguille sous le rayon suivant. Revenez en arrière en enroulant ce second rayon et passez au rayon suivant. Continuez ainsi ❷..

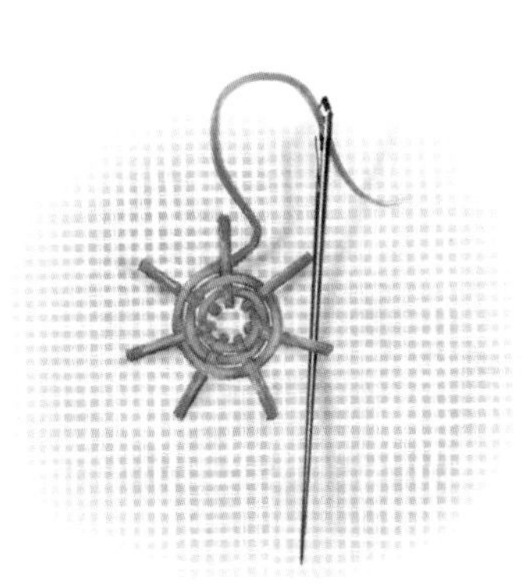

Point de roue

Travaillez sur l'endroit de la toile. Commencez par faire une étoile.
Sortez l'aiguille en 1 sur l'endroit de la toile. Passez l'aiguille alternativement au-dessus et en dessous des rayons de l'étoile ❶. Faites autant de tours que nécessaire afin de masquer tous les rayons de l'étoile ❷. Rentrez le fil sur l'envers du tissu. Faites de même avec le fil de départ.

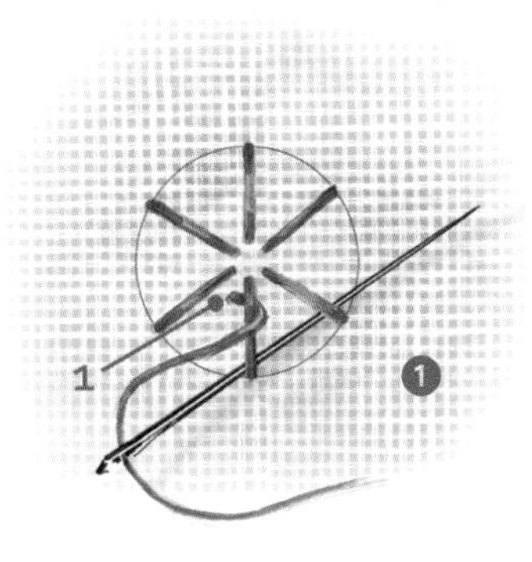

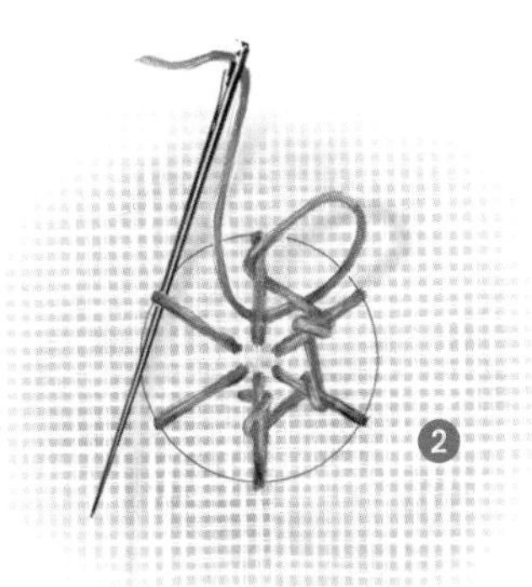

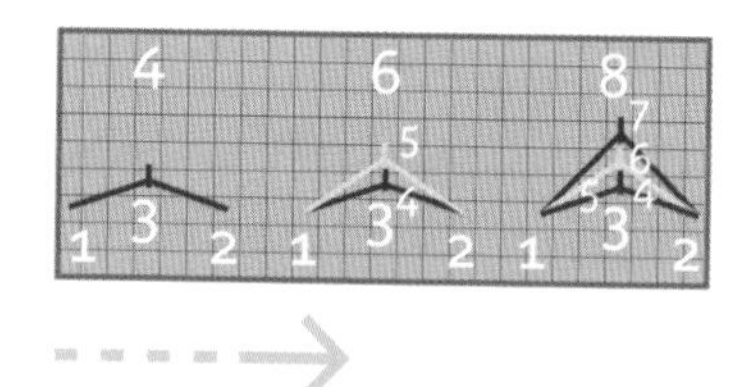

Point de plume

Travaillez de gauche à droite. Pour la première rangée ❶, piquez en 1 sur l'endroit du tissu. Comptez 6 fils et piquez en 2. Ressortez en 3 et piquez en 4. Continuez ainsi.

Espacez chaque point par 1 fil de lin.

Pour la deuxième rangée ❷, piquez en 1 sur l'endroit du tissu. Comptez 6 fils et piquez en 2. Ressortez en 5 et piquez en 6. Continuez ainsi.

Pour la troisième rangée ❸, piquez en 1 sur l'endroit du tissu. Comptez 6 fils et piquez en 2. Ressortez en 7 et piquez en 8. Continuez ainsi.

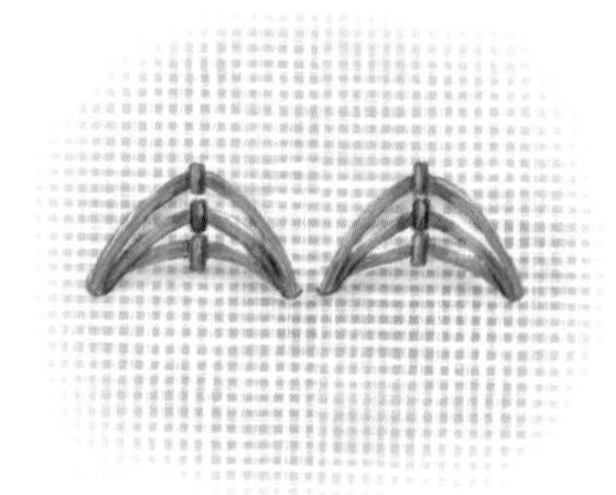

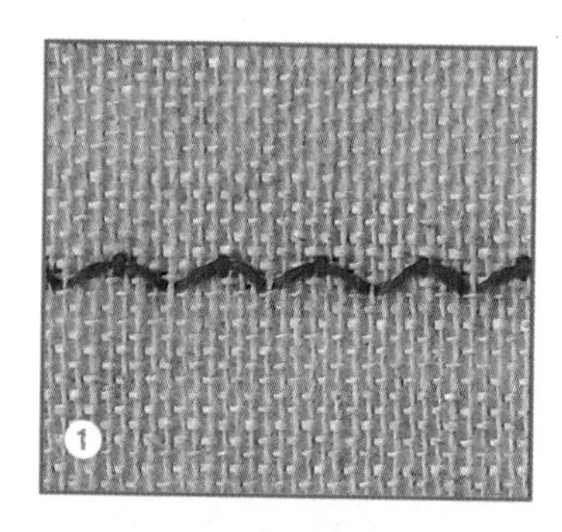

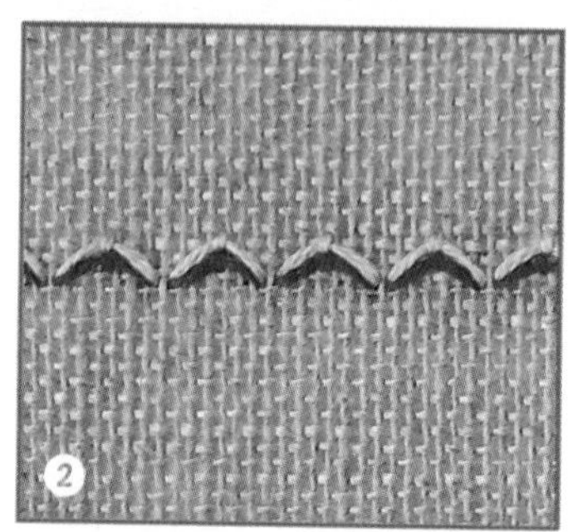

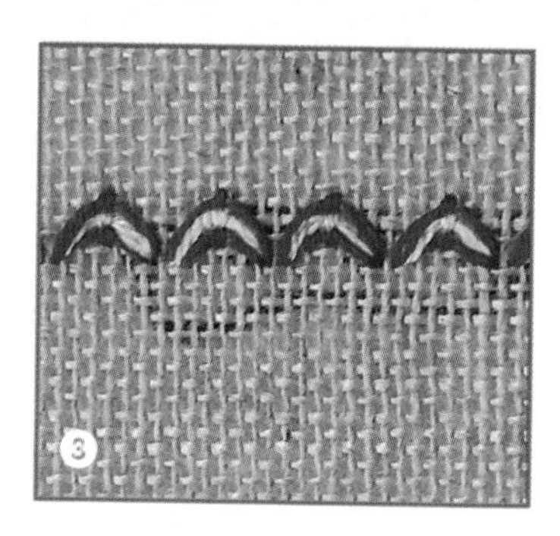

Point de Palestrina

Travaillez de bas en haut ou de gauche à droite. Sortez en 1. Piquez en 2 et sortez en 3 ❶.

Passez l'aiguille sous le point qui vient d'être réalisé sans piquer la toile ❷.

Repassez l'aiguille sous ce point en faisant passer le fil de l'aiguillée sur la boucle formée par le fil. Tirez délicatement ❸. Continuez ainsi.

Rentrez le fil sur l'envers du tissu. Faites de même avec le fil de départ.

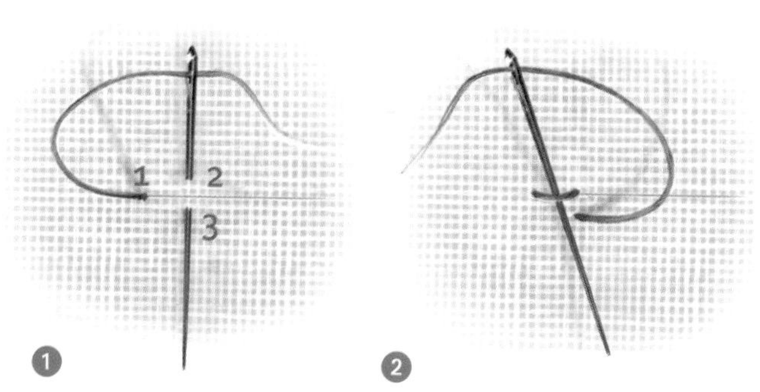

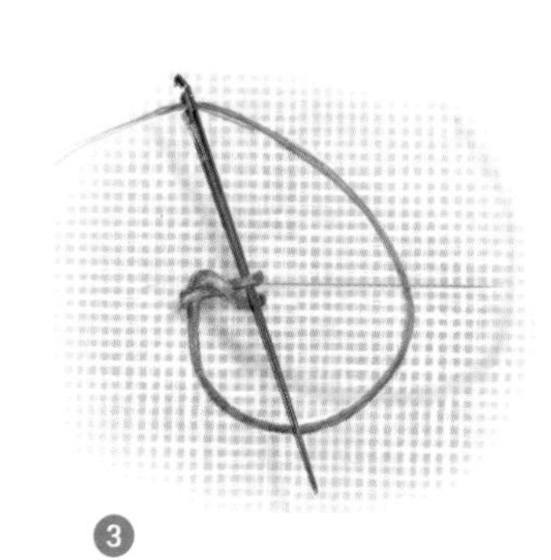